D0301947

ÊTES-VOUS *EN FORME*

Les gens **en forme** coulent au fond de la piscine.

Les gens **en forme** brûlent du gras.

Quand les gens **en forme** consomment du sucre,
ils le transforment en glycogène.

Les gens **en forme** ont beaucoup d'enzymes
qui brûlent les graisses.

Les gens **en forme** mangent plus que les obèses.

Les gens **en forme** utilisent le gras efficacement.

Quand les gens **en forme** font de l'exercice,
c'est de l'exercice aérobique.

Chaque activité quotidienne fait « perdre » de l'énergie
aux gens **en forme**.

Les gens **en forme** ont des muscles longs et maigres.

Les gens **en forme** peuvent être trop lourds
sans être trop gras.

L'exercice diminue la faim chez les gens **en forme**.

ou GRAS ?

	VOIR LES CHAPITRES
Les **obèses** flottent.	5
Les **obèses** brûlent du sucre.	25
Quand les **obèses** consomment du sucre, ils le transforment en gras.	24
Les **obèses** ont peu d'enzymes qui brûlent le gras.	14, 24
Les **obèses** suivent des régimes et jeûnent souvent, ce qui ralentit leur rythme métabolique.	2, 30
Les **obèses** entreposent le gras de façon efficace.	26
Quand les **obèses** font de l'exercice, c'est souvent de l'exercice anaérobique.	14
Les **obèses** « conservent » de l'énergie pendant leurs activités quotidiennes.	23
Les **obèses** ont des muscles courts, ronds et gras.	18
Les **obèses** peuvent être trop gras sans être trop lourds.	6
L'exercice déclenche la faim chez les **obèses**.	24, 25

Données de catalogage avant publication (Canada)

Bailey, Covert
Être en forme
Traduction de: The new fit or fat.
ISBN 2-7640-0011-1
1. Exercices amaigrissants. 2. Exercices aérobiques. 3. Exercices - Aspects physiologique. 4. Corps humain - Composition. I. Titre.
RA781.6.B3414 1995 613.7′1 C95-941134-8

Cet ouvrage a été originellement publié par Houghton Mifflin Company
215 Park Avenue South
New York, N.Y. 10003

sous le titre: The New Fit or Fat

Publié avec la collaboration de Eliane Benisti
80, rue des Saints-Pères
75007 Paris, FRANCE

LES ÉDITIONS QUEBECOR
7, chemin Bates
Bureau 100
Outremont (Québec)
H2V 1A6
Tél.: (514) 270-1746

Dépôt légal, 4e trimestre 1995
Bibliothèque nationale du Québec
Bibliothèque nationale du Canada
ISBN: 2-7640-0011-1

Éditeur: Jacques Simard
Coordonnatrice à la production: Dianne Rioux
Conception de la page couverture: Bernard Langlois
Révision: Francine St-Jean
Correction d'épreuves: Jocelyne Cormier
Infographie: Atelier de composition MHR inc., Candiac
Impression: Imprimerie L'Éclaireur

Covert Bailey

ÊTRE EN FORME

TRADUCTION DU BEST-SELLER
THE NEW FIT OR FAT

Traduit de l'américain par
Richard Raymond

Les Éditions Quebecor

Table des matières

Préface

Quand on demanda à Einstein s'il gardait sur lui un calepin pour noter ses nouvelles idées, il répondit qu'il n'avait pas souvent de nouvelles idées. Il semble que ce soit le cas pour tout le monde. Il n'y a rien de nouveau sous le soleil, comme on dit. Alors, lorsqu'on fait face à un problème, mieux vaut ne pas attendre l'inspiration. Il y a beaucoup de chance pour que la solution vienne non pas d'une nouvelle idée, mais d'un point de vue différent sur une vieille idée.

Covert Bailey, l'auteur, a suivi cette démarche pour régler le problème de l'obésité. Il a trouvé une solution en jetant un nouvel éclairage sur un vieux problème : l'exercice. « Le remède ultime contre l'obésité, déclare-t-il, c'est l'exercice. » L'obésité disparaît lorsqu'on accroît sa masse musculaire et lorsqu'on augmente la quantité d'enzymes qui brûlent le gras dans l'organisme. La seule façon d'y parvenir, fait remarquer Bailey, c'est de faire de l'exercice régulièrement.

Covert Bailey met l'accent surtout sur la condition physique, il ne s'intéresse pas au poids. Il se fie au dictionnaire qui définit l'obésité comme un surplus de graisse. Les gens ne sont pas trop *lourds*, ils sont trop *gras*. Ce n'est pas le poids qui est crucial, mais le taux de gras. Plus il est élevé, moins il y a de masse maigre corporelle. Plus il y a de gras, moins il y a de muscles. On peut peser 115 kilos et être tout en muscles et en os, et on peut peser 45 kilos et être trop gras.

Ces dernières années, les gens ont tenté de contrôler leur poids sans jamais se soucier de leur taux de graisse. On a voulu ignorer la pertinence de ce taux par rapport à l'obésité et à son traitement. Cependant, nous avons commencé à observer que les gens gras mangent moins que les maigrichons. Quant à l'athlète de fond, personne maigre et active, il mange insatiablement et il ne gagne pourtant pas de poids.

Le bon sens nous dit que l'exercice nous garde mince. L'idée que l'exercice fait fondre les graisses fait partie de la sagesse dont nous avons hérité. Cependant, les scientifiques et les nutritionnistes semblent ne jamais y avoir cru. Tout cela va à l'encontre du principe de conservation d'énergie de Newton. Si, pour brûler les 1000 calories fournies par un hamburger au fromage, un lait battu et des frites, il faut courir 16 km, l'exercice est une méthode impraticable pour perdre sa graisse. La méthode scientifique pour perdre du poids doit consister à réduire l'apport des calories, et non à en augmenter l'élimination.

Certains chercheurs commencent à douter de cette approche traditionnelle. Le docteur Eric Newsholmes, de l'Université d'Oxford, a mis de l'avant l'hypothèse selon laquelle un corps bien entraîné développe ce qu'il appelle des « cycles futiles ». Il acquiert l'habileté à éliminer des calories même en l'absence d'activités, probablement sous forme de chaleur. Quand un athlète se repose, les engrenages de ces cycles futiles fonctionnent encore et utilisent de l'énergie. De tels cycles peuvent persister jusqu'à deux ou trois jours après une séance d'entraînement.

Ces cycles peuvent contribuer à d'autres effets bénéfiques de l'exercice, comme l'a noté le chercheur suédois Per Bjorntrop. « L'exercice, dit-il, a un effet positif sur les obèses même s'ils suivent une diète qui n'est pas stricte. » Bjorntrop a étudié l'effet bénéfique de l'exercice sur l'hyperinsulémie, l'hypertension et le taux élevé de gras dans le sang. Il conclut que les obèses qui s'entraînent subissent une « réhabilitation métabolique ».

Apparemment, l'exercice aérobique crée un état hypermétabolique. Quand on court, fait de la bicyclette, du canoë ou du ski de fond chaque jour, toutes les fonctions vitales se rééquilibrent à un niveau supérieur. On utilise alors autant d'énergie au repos que d'autres gens qui bougent. On n'est plus un spectateur qui regarde son gras s'accumuler ; on devient un athlète qui brûle les graisses.

Les diètes ne peuvent faire cela. Suivre une diète entraîne une perte de graisse ET de muscles. En suivant une diète, on a plus de chance de devenir hagard et de ne pas avoir l'air très en santé, comme le fait remarquer Covert Bailey qui ne veut rien savoir des diètes. Un homme de taille moyenne, déclare-t-il, ne devrait pas consommer moins de 1500 calories par jour et une femme de taille moyenne, pas moins de 1200 calories par jour. Quand un programme d'entraînement devient intense, cette consommation doit, bien entendu, augmenter.

Bailey n'est pas non plus impressionné par les pertes de poids. Quand une personne lui dit qu'elle a perdu 5,5 kilos, il lui demande : « 5,5 kilos de quoi ? » Une partie peut-être en gras et une autre partie en eau, ce qui n'est pas significatif. Peut-être que la personne a aussi perdu du muscle, ce qui signifie que, en réalité, cette personne a perdu du terrain plutôt que d'en gagner. En fait, cette personne reprendra du poids plus facilement quand elle mettra fin à sa diète.

À quoi faut-il alors être attentif quand on est obèse et qu'on se lance dans un programme d'entraînement ? D'abord, il faut cesser de se pencher sur son pèse-personne. On peut même prendre un kilo au début à cause d'une augmentation de la masse musculaire. Bailey conseille à ses clients de jeter leur pèse-personne. Il croit qu'il ne faut pas viser un poids idéal et tendre plutôt vers la santé idéale. Si on développe sa forme aérobique, le gras (et le poids) fait le reste.

Prendre son pouls, surtout le matin au réveil, est une bonne façon de suivre l'amélioration de sa condition physique. On peut suivre les changements en graisse dans son corps en prenant ses mensurations, particulièrement celles du ventre, des hanches et des cuisses. Ce sont de meilleurs indices de l'amélioration de la forme que le poids. De vrais tests de la condition physique, comme le test de 12 minutes de Cooper, disent que quelque chose de bon arrive aux muscles et aux enzymes musculaires. « Quand les muscles sont en forme, dit Bailey, on a plus d'endurance et d'énergie, plus d'entrain, parce qu'on utilise mieux la nourriture et qu'on en transforme moins en gras. »

Les recherches dans le domaine peuvent apporter de meilleures explications sur l'exercice et ses effets sur l'obésité, mais elles ne changeront pas la prémisse de Bailey. Le choix est simple : être en forme ou être gras, s'entraîner ou pas. Le remède ultime à l'obésité, c'est l'exercice.

George Sheehan, médecin

y a une dizaine d'années. Pourquoi certaines personnes persistent-elles alors à essayer toutes sortes de recettes bizarres pour perdre du poids rapidement ?

L'un des chapitres de mon premier livre s'intitulait : Les diètes ne sont pas efficaces. Je le reprends ici, tel quel, coiffé d'un nouveau titre : « Les diètes sont toujours aussi inefficaces ». La personne qui lit ce chapitre pour la première fois devrait le garder en mémoire. Celle qui l'a déjà lu devrait le relire. Nous voici à l'aube du XXIe siècle, et on est encore friand de diètes. Et certaines diètes pour perdre du poids rapidement ont l'audace de prétendre à une « supervision médicale ». Merveilleux ! On devrait aussi bien fournir une supervision médicale à toute personne qui se jette en bas d'un pont : ce serait pratique d'avoir un médecin à portée de la main après avoir sauté dans le vide. Si quelqu'un prétend avoir besoin d'un médecin au moment de commencer une nouvelle diète, je lui réponds : « Mon Dieu ! si c'est aussi dangereux, je ne voudrais surtout pas suivre une diète pour AUCUNE considération. » À long terme, l'exercice est le seul remède contre l'obésité. C'était ma conviction de départ il y a une dizaine d'années, et ça l'est encore.

Je souhaiterais amener les obèses à penser ainsi : « Je vais trouver une personne maigre et lui demander : "Comment fais-tu pour rester aussi maigre ? Qu'est-ce que tu fais ?" » Les obèses devraient demander à un renard, à un chevreuil ou même à leur chien comment ils font pour rester maigres. C'est par l'exercice, l'exercice et l'exercice. Ce n'est *pas* en suivant une diète.

Nous savons maintenant que les bienfaits de l'exercice dépassent le simple fait de maigrir. La composition du sang change, les conditions du sommeil s'améliorent, les os deviennent plus denses, on peut même régler certains problèmes psychologiques en faisant de l'exercice. Il est possible de prouver que les personnes en forme vivent plus longtemps et que PLUS ON EST EN FORME, PLUS ON VIT LONGTEMPS. Saviez-vous que c'est vrai même pour les fumeurs ? Fumer abrège la vie. Mais si on est un fumeur en forme, on vit plus longtemps qu'un fumeur qui ne l'est pas. On pourrait presque croire que c'est une farce, mais ce n'est pas le cas.

Nous avons trouvé la fontaine de Jouvence: c'est l'exercice. Chacun doit penser à la façon dont il vivra les 20 dernières années de sa vie. L'exercice fait maintenant aura un impact énorme sur ces années. La magie de la fontaine de Jouvence, c'est qu'elle NOUS GARDE JEUNE MÊME QUAND ON VIEILLIT. L'exercice conserve au corps et à l'esprit toute leur jeunesse même si les années s'accumulent.

Je voudrais faire d'abord une suggestion. Supposons que quelqu'un a un ami qui est sur le point de commencer une diète insensée pour perdre rapidement du poids. Je lui suggère de copier le chapitre intitulé: « Les diètes sont *toujours* inefficaces » et de le lui donner. Lui offrir le livre pourrait l'insulter: votre ami vous remercierait, mais le mettrait de côté. Il n'aurait même pas l'idée de le lire. Mais si vous lui donnez seulement les quelques pages de « Les diètes sont *toujours* inefficaces », vous lui feriez peut-être changer d'idée. Vous pourriez l'empêcher de faire quelque chose d'insensé. Ensemble, nous pourrions exercer une bonne influence sur votre ami.

Il est possible qu'une personne soit mince, tout en ayant des muscles flasques. Supposons qu'elle ne soit vraiment pas en forme, que l'excès de graisse sous la peau soit la source de son problème. Vous pouvez lui copier le chapitre 6 (« Surplus de poids et surplus de graisse »). Ne dites pas d'où ça vient, donnez tout simplement ces pages à votre ami. Il pourrait s'exclamer: « Wow ! Je n'y avais jamais pensé. Je peux être maigrichon et avoir en même temps un surplus de gras. » Ce chapitre servira aussi bien à un ami qui serait un de ces gros poids lourd: quelqu'un qui est très fort, mais dont tout le monde dit qu'il est gras. Il n'est peut-être pas gras du tout. Peut-être coulera-t-il au fond de la piscine même s'il pèse plus que ce qu'il devrait peser selon les tables de poids idéal des médecins. Il est possible de l'empêcher de suivre une diète aussi inutile que superflue grâce à ces deux pages de mon livre.

Le deuxième chapitre intitulé « Les obèses mangent moins que les maigrichons » offre une autre possibilité. Peut-être avez-vous un ami qui se culpabilise parce qu'il mange trop et qui prétend: « Je n'ai tout simplement pas de contrôle sur ma diète. Je mange beaucoup trop. » Vous savez que cette personne ne mange même pas autant que vous, mais elle ne s'en aperçoit pas. Donnez-lui les quelques pages de ce chapitre et attendez la suite. Il arrive qu'après avoir donné à lire un chapitre, on désire aller plus loin en offrant le livre, la personne étant alors prête à le lire du début à la fin.

Je me permets de faire une autre suggestion. Il y a au début de ce livre un tableau intitulé : « Êtes-vous en forme ou gras ? » Il fournit des données sur les différences existant entre les personnes qui sont en forme et celles qui ne le sont pas. Les deux groupes sont très différents. Donnez ce tableau à un ami qui pense qu'être en forme n'apporte pas de véritable bienfait. Si vous connaissez quelqu'un d'aussi ignorant, il se peut que ce tableau l'incite à revoir son attitude et à demander plus de renseignements.

Le nouveau *Être en forme* est un stimulant pour moi. J'espère qu'il aidera les gens à changer leur mentalité. J'ai déjà aidé deux ou trois millions de personnes, et je voudrais en aider encore 10 millions, si c'est possible.

Dites non au pessimisme des articles de journaux qui affirment qu'il n'y a que 10 pour cent des Américains qui font de l'exercice. Ce que ces articles oublient de dire, c'est que seulement 5 pour cent des Américains *avaient l'habitude* de faire de l'exercice. Les mentalités changent rapidement et radicalement. Près de 90 pour cent du public sait probablement qu'il *devrait* faire de l'exercice. Lorsqu'on demande aux gens si l'exercice est aussi bénéfique qu'on le dit, la plupart d'entre eux répondent oui. On sait tous que ça aide à contrôler le poids, et la plupart des gens sont capables d'énumérer une bonne douzaine d'autres bienfaits. Ceux qui avaient l'habitude de faire de l'exercice diront que, quand ils en faisaient, ils se sentaient mieux, dormaient mieux, étaient moins tendus, et qu'ils souhaiteraient recommencer à en faire.

Ne venez pas me dire que nous n'avons pas d'influence. Les Nord-Américains sont en train de découvrir où se cache la fontaine de Jouvence.

2

Les obèses mangent moins que les maigrichons

La plupart des obèses se sentent coupables. La société pointe un doigt accusateur dans leur direction, leur faisant sentir qu'ils sont en quelque sorte moralement faibles, que ce sont des gloutons sans force de caractère. Ils se punissent eux-mêmes chaque repas, en ayant la certitude de trop manger encore une fois. Rien n'est moins vrai. La volonté des obèses ne cesse pas de m'étonner. Leur vie est marquée par un auto-rejet perpétuel. Si les maigrichons se mortifiaient autant, ils disparaîtraient complètement.

La vérité, c'est que la plupart des obèses mangent moins que les maigrichons.

Au cours de la première entrevue à notre clinique, les femmes obèses nous disent rapidement qu'elles connaissent les raisons de leur obésité. Elles ont la conviction qu'elles mangent beaucoup trop. Quand on demande à la femme obèse typique si elle mange plus que les autres, elle répond qu'elle mange plus que n'importe qui. Mais quand on l'interroge sur les habitudes alimentaires de son mari, elle explose, exaspérée: « Ce diable d'homme mange trois ou quatre portions chaque repas et il est toujours aussi maigre qu'un chicot. » C'est à ce moment-là qu'elle reconnaît son incohérence. Son mari mange beaucoup plus qu'elle. Il arrive alors qu'elle insiste pour dire qu'elle s'offre une collation le jour, ce qui est probablement vrai. La plupart des nutritionnistes (qui sont censés le savoir) croient que c'est la cause du problème de ces femmes. Mais les études confirment que les obèses suivent habituellement une diète plutôt restrictive; ils mangent moins que leur conjoint maigrichon. La vérité toute simple, c'est que la biochimie des obèses s'est adaptée à un faible apport en calories. Et quand ils cèdent *vraiment* à la gourmandise, comme nous le faisons tous de temps en temps, ils prennent du poids alors que les maigrichons restent minces.

3

Les diètes sont *toujours* inefficaces

Il est presque impossible de lire quoi que ce soit aujourd'hui sans tomber sur une autre diète. Au supermarché, on trouve aux caisses enregistreuses les inévitables revues destinées aux femmes, chacune offrant une toute nouvelle diète, avec la garantie de rendre mince à vie. Les étagères des librairies sont remplies de nouveaux livres vantant les mérites de nouvelles diètes, qui eux aussi garantissent qu'on peut devenir un super-mannequin. Il doit bien y avoir dix nouvelles diètes, dites miracles, lancées chaque jour. Habituellement, le livre prétend – en caractères gras pour s'assurer qu'on le verra – qu'on peut manger à satiété tous les aliments qu'on aime. Après tout, qui voudrait lire une nouvelle diète qui exigerait qu'on abandonne les bons aliments quand il est fort probable qu'on l'ait déjà fait.

Eh bien, il faut reprendre courage, parce que les diètes qui dictent d'abandonner les aliments qu'on aime sont inefficaces ! Elles sont inefficaces parce qu'aucune diète ne fonctionne. Il doit être évident que si on publie dix nouvelles diètes chaque jour, chacune prétendant être parfaite, il y a quelque chose qui ne tourne pas rond. Je le répète : le problème, c'est que les diètes sont inefficaces. IL N'Y A PRÉSENTEMENT AUCUNE DIÈTE, ET IL N'Y EN AURA JAMAIS, CAPABLE DE REMÉDIER AU PROBLÈME DU SURPLUS DE POIDS. La raison, c'est que les diètes ne s'attaquent pas au vrai problème de l'obèse.

La plupart des gens pensent que perdre du poids est le problème de base. L'obèse affirme : « Je ne peux tout simplement pas perdre de poids. » Mais quand on demande à l'obèse

4

La machine humaine

Pendant des années, on a toujours donné la même réponse aux obèses : « Vous mangez trop ou vous ne faites pas assez d'exercice, ou encore les deux. » Docteurs, nutritionnistes et diététiciennes ont repris en écho ces belles paroles. C'est tout simplement faux ! Il y a des gens qui engraissent facilement et d'autres qui restent maigres, peu importe la quantité de nourriture qu'ils absorbent ou d'exercice qu'ils font. Non seulement la propension à engraisser peut-elle être complètement différente d'une personne à l'autre, mais la même personne peut changer du tout au tout au cours de sa vie. Les femmes qui prennent la pilule anticonceptionnelle gagnent souvent du poids plus facilement. On dit souvent qu'elles ont commencé à manger plus et à faire moins d'exercice, mais des milliers de femmes prétendent le contraire.

On peut représenter l'approche traditionnelle de l'obésité par le dessin d'un réservoir d'eau. On ajoute de l'eau à l'aide d'un robinet situé au-dessus du réservoir et on l'évacue grâce à un robinet situé à sa base. On présume que les humains ressemblent à ce réservoir. Augmenter le débit du robinet supérieur ressemble à consommer plus de calories ; quand on le fait, le niveau monte dans le réservoir. Fermer le robinet inférieur, c'est faire moins d'exercice chaque jour ; le taux de graisse augmente dans l'organisme. Cette analogie est vraie en partie : pour une bonne part, on engraisse quand on mange trop et qu'on ne fait pas assez d'exercice. Malheureusement, l'analogie est démentie par la pratique quotidienne parce qu'elle implique que les gens sont des réservoirs passifs, affectés seulement par l'apport de nourriture externe et par l'exercice.

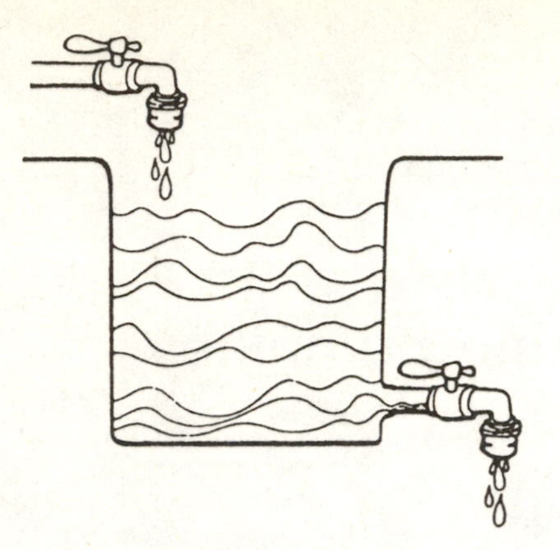

En fait, nous ne sommes pas des réservoirs passifs, mais des machines métaboliques actives, chacune étant différente de l'autre, chacune traitant les calories de façon différente. Je préfère penser que le corps est une machine qui fonctionne efficacement ou pas, selon les circonstances. Tout comme on peut ajuster une automobile pour tirer le meilleur parti de la consommation d'essence, de même on peut augmenter l'efficacité de la machine humaine.

L'une des caractéristiques uniques de la machine humaine, c'est qu'elle a deux réservoirs d'énergie : un réservoir pour le sucre ou, en termes plus techniques, les glucides, et un autre pour la graisse. Ne serait-ce pas sensationnel si on construisait les automobiles de cette façon ? Quand on serait à court d'essence, il suffirait de les brancher sur le réservoir de diesel. À vrai dire, notre corps ne passe pas d'un type d'énergie à l'autre dans un mouvement de va-et-vient, mais il utilise les deux simultanément.

La plupart des gens ignorent qu'entre 60 et 70 pour cent de l'énergie musculaire d'une personne au repos est fournie par la graisse. Autrement dit, la graisse (qu'elle provienne d'un repas récent ou des dépôts de gras) voyage dans le sang jusqu'au muscle où elle remplit pour plus de la moitié les besoins en énergie du muscle au repos. Le corps brûle dans le même temps des graisses et des glucides, mais les graisses lui fournissent la plus grande part de l'énergie dont il a besoin.

L'accumulation de graisse est donc une fonction naturelle de l'organisme. Le problème, c'est que le corps des obèses emmagasine les gras avec trop d'efficacité et les brûle moins efficacement que la normale.

Notre analogie avec le réservoir d'eau est boiteuse dans la mesure où certaines machines corporelles travaillent plus fort pour emmagasiner la graisse que d'autres. Et la question n'est pas seulement de savoir si on mange trop ou si on fait trop peu d'exercice.

En outre, contrairement à l'analogie du réservoir d'eau, être gras incite à engraisser encore plus. L'obésité est un cercle vicieux: plus on est gras, plus la biochimie, ou le métabolisme, change pour favoriser encore plus la production de graisse.

5

L'obèse flotte ! Comment tester son gras corporel

Une livre de beurre placée dans l'eau flotte comme un bouchon de liège. Quand des pétroliers entrent en collision en mer, ils laissent s'écouler du pétrole, une forme de graisse, qui flotte à la surface de l'océan. La graisse dans l'organisme humain n'est pas différente. Plus le taux de graisse est élevé, plus un corps flotte dans l'eau. Quand j'étais enfant, j'avais une amie qui flottait si bien qu'elle pouvait lire un livre tout en restant calmement allongée à la surface de l'eau. Un jour, elle me demanda pourquoi je ne flottais pas. Naturellement, je lui répondis que je pourrais flotter si je le voulais, mais que je n'en avais tout simplement pas le désir. Quand, finalement, elle me convainquit d'essayer, j'ai coulé à pic. Cela m'attrista, et je jurai qu'un jour je pourrais exécuter cette merveilleuse prouesse aussi bien qu'elle. C'est exactement ce qui arriva... quand j'engraissai.

Au contraire de la graisse, un muscle maigre ou un os ne flotte pas. Les hommes de science appellent cette partie du corps la masse corporelle maigre. C'est assez pratique de penser que le corps a deux parties distinctes : la graisse qui flotte et la masse corporelle maigre qui coule à pic.

Il y a plusieurs façons d'évaluer la graisse corporelle de quelqu'un, mais la méthode la plus précise repose sur notre aptitude à flotter. On se sert d'un immense réservoir d'eau dans lequel on peut immerger complètement une personne assise sur une chaise tubulaire suspendue à une balance.

L'obèse flotte.

Cette balance, avec sa chaise suspendue, ressemble à la balance que l'on retrouve dans la section des fruits et légumes d'un supermarché. Plus la proportion de muscle et d'os est élevée, plus on coule facilement et plus on pèse lourd sous l'eau. Plus la taux de graisse est élevé, plus on a tendance à flotter et moins on pèse lourd sous l'eau. Les vrais obèses qui s'approchent de notre réservoir d'eau ont peur de briser notre balance. La vérité, c'est que plus ils sont gros, moins ils sont lourds sous l'eau. Sous l'eau, ce sont les personnes maigres qui pèsent le plus. Ça peut paraître drôle, mais nous félicitons ceux qui ont une très grande densité corporelle. Pour nous, densité égale beauté.

Le test d'immersion est la méthode la plus précise pour déterminer la graisse corporelle, et plusieurs universités l'utilisent dans leur programme de mise en forme physique. Cette méthode exige certains appareils sophistiqués de sorte qu'il n'est pas facile d'y avoir recours dans sa piscine. Mais on peut essayer le jeu suivant, fondé sur les mêmes principes, qui donne une idée du taux de graisse. On demande à plusieurs personnes de remplir leurs poumons d'air et de flotter sur le dos. Au signal, chacun expire l'air de ses poumons. Chacun devrait alors commencer à couler lentement. La première personne à toucher le fond est la plus maigre.

J'ai déjà tenté cette expérience avec Carl, un marathonien très maigre. Comme je m'installais lentement au fond de la piscine, j'ai jeté un coup d'œil vers Carl. Il avait frappé le fond si violemment qu'il avait rebondi et était en train de sombrer pour la seconde fois.

Avec environ 25 pour cent de gras, on flotte facilement.

Avec 22 ou 23 pour cent de gras (un taux normal pour une femme en santé), on peut flotter si on ne respire pas profondément.

Avec 15 pour cent de gras (un taux faible pour une femme mais normal pour un homme en santé), on coule en général lentement même avec les poumons remplis d'air.

Avec 13 pour cent de gras, on coule à pic même avec les poumons remplis d'air et en eau salée.

Ces données sont approximatives, car la flottabilité de quelqu'un dépend aussi de son âge, du volume de ses poumons et de la température de l'eau. Se peser sous l'eau n'est pas aussi simple que ça en a l'air, et il est impossible d'y arriver avec précision dans sa cour.

Il existe plusieurs autres techniques pour déterminer la quantité de gras corporel, la plupart reposant sur la mesure de la graisse qui est juste sous la peau, appelée graisse sous-cutanée. Ces méthodes supposent que la quantité de graisse sous-cutanée augmente quand la quantité totale de graisse augmente dans le corps. Autrement dit, quand le taux de graisse augmente autour du cœur et des poumons, il augmente également sous la peau. Quand on tient compte de toutes les parties du corps où la graisse peut s'accumuler (par exemple, autour des intestins ou à l'intérieur des muscles), il est difficile de croire que mesurer des changements de graisse sous-cutanée reflète des changements identiques de la quantité de graisse ailleurs dans l'organisme. Fait étonnant, la mesure de la graisse sous-cutanée fournit une évaluation précise de la quantité de graisse dans tout le reste du corps.

On peut mesurer la graisse sous-cutanée en pinçant la peau entre les doigts, à l'aide d'un compas sophistiqué appelé adiposomètre, en envoyant des ultrasons à travers la peau ou en la traversant d'une lumière spéciale. La précision de chacune de ces méthodes dépend d'au moins trois facteurs importants :

1. Le nombre d'endroits et leur emplacement sur le corps ;
2. La précision avec laquelle on détermine le taux de graisse sous-cutanée à chacun des endroits. Évidemment, pincer la peau avec les doigts est la méthode la moins fiable ;
3. Chez certaines personnes, l'évaluation de la graisse sous-cutanée peut NE PAS refléter la quantité de graisse qu'il y a dans le reste du corps. Chez les gens très en forme, la

quantité de graisse corporelle est surévaluée et, chez les personnes très maigres mais qui ne sont pas en forme, elle est souvent sous-estimée.

Dans notre clinique, nous nous servons de l'adiposomètre parce que c'est une méthode rapide, peu coûteuse, facile à utiliser et, chose étonnante, précise. Mais je continue de privilégier la méthode du réservoir d'eau quand c'est faisable.

Les autorités médicales sont quelque peu en désaccord avec moi, mais je pense qu'on peut dire sans se tromper que le taux maximum de graisse pour qu'un homme soit en bonne santé est de 15 pour cent et de 22 pour cent pour une femme. Chez les athlètes, ce taux est souvent beaucoup moindre. Quand on mesure des membres d'une équipe de football professionnel, les gros joueurs de ligne ont un taux moyen de 17 pour cent et les quarts-arrière qui courent plus vite, un taux de 10 pour cent. À noter que les joueurs de ligne se situent un peu au-dessus du 15 pour cent théorique, parce qu'un léger supplément de graisse signifie un surplus de poids, ce qui est, on le présume, un avantage. Nous nous posons tout de même la question à savoir si ça contribue à les garder en santé, dans la mesure où ce sont eux qui «engraissent» le plus rapidement quand ils abandonnent la pratique du sport.

Un taux plus élevé de graisse chez la femme, même si c'est normal et bon pour la santé, peut être tenu en partie responsable de la plus grande incidence de l'obésité chez les femmes que chez les hommes. Puisque, au départ, la femme a plus de graisse, il est probablement plus facile pour elle d'engraisser.

Ces taux de 15 pour cent pour l'homme et de 22 pour cent pour la femme sont les plus élevés qu'on puisse avoir pour faire encore partie de la normale. Toutefois, nous avons mesuré des milliers de personnes, et la majorité des hommes ont un taux de graisse moyen de 23 pour cent et la majorité des femmes, un taux de 32 pour cent. Aussi, ne faut-il pas confondre *moyen* avec *normal*. Accuser un surplus de poids de deux kilos et demi ou de quatre kilos et demi peut faire de quelqu'un un être *moyen*, et tous ses amis peuvent accuser le même surplus, mais cela ne signifie pas que cette personne est *normale*.

À cette étape, surgit souvent la question des types corporels. On peut accepter que 15 pour cent et 22 pour cent soient des taux normaux pour les mésomorphes, mais les ectomorphes, ceux qui sont « naturellement maigres », devraient-ils avoir un taux inférieur à ceux-là ? Et les endomorphes, ceux qui sont « naturellement gras », ne devraient-ils pas avoir un taux supérieur ? Je dis : « Non, non et non ! » Tous les hommes devraient s'efforcer de garder un taux maximum de 15 pour cent. Un homme qui pèse 91 kilos peut avoir 14 kilos de graisse, ce qui représente 15 pour cent de son poids. Un homme de 73 kilos devrait avoir seulement 11 kilos de graisse, ce qui est aussi 15 pour cent de son poids. Si un homme a une grosse ossature et une musculature développée, il peut avoir plus de graisse sans dépasser le taux de 15 pour cent. Son poids peut être supérieur à celui d'un homme de même taille, mais dont l'ossature est plus fine. Néanmoins, tous deux doivent viser un taux de graisse de 15 pour cent ou moins.

J'ai connu plusieurs personnes qu'on pourrait appeler « naturellement grosses », mais qui, par la suite, ont abaissé leur taux de graisse au point où l'étiquette d'endomorphe ne leur convenait plus du tout. Il est même plus étonnant de trouver chez plusieurs ectomorphes, qui semblent plutôt minces, même maigres, un taux de graisse élevé.

Plutôt que d'utiliser ces termes pour décrire des différences apparentes dans les types corporels, je préfère les écarter complètement au profit du taux de graisse.

Taux de graisse corporelle

(Test sous l'eau)

	Hommes	*Femmes*
Le plus élevé	55 %	68 %
Américain moyen	23 %	32 %
En bonne santé*		
Orientaux	18 %	25 %
Caucasiens	15 %	22 %
Noirs	12 %	19 %
Athlètes d'élite	3-12 %	10-18 %
Le plus bas	1 %	6 %

*On constate des différences raciales pour ce qui est de la densité osseuse. Les os des personnes de race noire sont plus lourds que ceux des Orientaux, de sorte qu'elles coulent plus facilement dans l'eau. Pour respecter ces différences, les hommes et les femmes de race jaune en santé doivent avoir des taux respectifs de 18% et de 25%, tandis que les taux respectifs des hommes et des femmes de race noire en santé doivent être de 12% et de 19%.

6

Surplus de poids et surplus de graisse : certaines personnes accusent un surplus de poids sans être grasses

La majorité des gens sont préoccupés par un surplus de poids, mais cette expression est dépassée. On a dit de ceux qui font de l'embonpoint qu'ils ont des kilos en trop parce qu'ils souffrent d'un excès de graisse. Mais nous savons maintenant que la graisse peut se cacher à l'intérieur du corps. Ainsi, quelqu'un peut avoir un surplus de graisse sans paraître faire de l'embonpoint. Prenons l'exemple d'un ancien adepte de la musculation. Il a déjà été très fort et avait des muscles durs et maigres. Depuis qu'il a abandonné un entraînement physique exigeant, ses muscles ont quelque peu engraissé. Il peut avoir encore le même poids qu'auparavant, mais c'est sa graisse qui fait maintenat pencher la balance au lieu de ses muscles. Il a accumulé un surplus de graisse sans développer d'embonpoint.

Il est triste de constater que le même processus se produit chez 90 pour cent des adultes américains. Jusqu'à l'âge de 15 ans, la majorité d'entre eux sont très actifs, brûlant les calories aussi vite qu'ils les consomment. Mais vient le jour où ils « deviennent des adultes ». Ils s'adonnent aux activités des adultes : boire, travailler et se déplacer en voiture. Leurs muscles deviennent lentement moins denses, moins maigres et plus gras.

Un troupeau de bœufs dans un pâturage nous permet de constater la même chose. Les jeunes veaux s'ébattent et cabriolent, ne s'arrêtant à l'occasion que pour téter le lait maternel. Peu à peu, ils s'assagissent, et leurs muscles extraordinairement maigres « deviennent gras ». Quand ils ne sont pas sollicités à fond, les muscles développent des stries de graisse qu'on appelle marbrures. Plus un muscle est strié ou marbré de graisse, plus nous l'apprécions sous la forme de bifteck.

Comme les bovins, les être humains deviennent moins actifs avec l'âge. La plupart des mes clients adultes croient à tort qu'ils sont tout aussi actifs, et même plus actifs, qu'ils ne l'étaient enfants. Mais ils confondent différents types d'activités physiques. Je parle d'activités sportives qui font vraiment travailler les muscles, qui les sollicitent vraiment à fond de temps à temps. Cessons de penser que nettoyer la maison, cuisiner, s'occuper des enfants ou travailler debout à l'usine toute une journée sont de véritables activités musculaires. Tout ce travail est épuisant, bien sûr, mais pour les muscles, c'est seulement du travail de gens affairés. Cette routine quotidienne ne sollicite jamais plus de 50 pour cent du potentiel musculaire; donc, 50 pour cent des muscles peuvent s'atrophier et être remplacés par de la graisse. Il ne faut pas confondre travail et exercice.

Au fur et à mesure que la graisse s'infiltre dans les muscles, on peut ne pas prendre de poids parce que la graisse est simplement en train de remplacer un muscle inutilisé. La plupart des adultes qui conservent, à 40 ans, le même poids qu'à 20 ans ont néanmoins beaucoup engraissé. On commence à prendre du poids seulement quand on fait de tels excès de table sans faire d'exercices à tel point que nos muscles deviennent incapables d'absorber la graisse. Alors, la graisse commence à se déposer à l'extérieur des muscles, sous la peau. Il n'est plus question pour la graisse de remplacer un muscle atrophié mais de s'ajouter au corps : c'est alors que commence l'embonpoint. D'habitude, les personnes qui commencent à faire de l'embonpoint souffrent déjà d'un surplus de graisse. Un surplus de poids de deux kilos et demi seulement traduit probablement un surplus de graisse d'au moins six kilos.

Pour bien comprendre la différence entre être lourd et être gras, voici l'histoire vraie d'un joueur de football qui pesait 129,5 kilos. Chaque mois, son entraîneur lui imposait une amende pour son surplus de poids. Il ne mesurait que 1,75 m de sorte que son entraîneur pensait qu'un homme de cette taille devait être gras pour peser autant. Pendant plus d'un an, ce gros homme a suivi des diètes, essayant, mais sans succès, de se conformer à l'idée que son entraîneur avait de son poids idéal. Finalement, on engagea une université pour faire des recherches sur la graisse et la performance physique. L'université accepta d'évaluer le taux de graisse corporelle de chaque joueur de l'équipe. Au grand étonnement de tout le monde, notre homme de 129,5 kilos avait un taux de graisse de 2 pour cent, un chiffre incroyablement bas si on considère que 15 pour cent est le taux normal pour un homme. Inutile de dire que son entraîneur cessa de le mettre à l'amende et que ce joueur s'arrêta de se sous-alimenter dangereusement. Son poids augmenta à 147,5 kilos, ce qui était un taux de graisse plus normal pour lui; il se sentit dès lors beaucoup plus fort et devint beaucoup plus performant sur le terrain de football.

Voilà donc un cas où l'on avait confondu poids et graisse. Il est réellement impossible de préciser le taux de graisse à partir du poids de quelqu'un.

Je peux tirer de ma propre vie un autre exemple de la confusion entre surplus de poids et surplus de graisse. C'est un cas tout à l'opposé de celui du joueur de football, et il est plus typique de celui des gros Américains. Il démontre aussi que le pèse-personne domestique auquel on fait tant confiance n'a aucune valeur. Pendant la plus grande partie de ma vie, mon poids n'avait pas changé. De 20 ans à 37 ans, je pesais 77 kilos, ne bougeant jamais plus de 250 grammes. Je faisais partie du groupe des insupportables qui peuvent manger n'importe quoi sans que leur poids change, même légèrement. Aussi, quand j'ai commencé à prendre rapidement du poids à 37 ans, quel ne fut pas mon étonnement. J'ai cherché sérieusement la cause de ce changement. Comme mon poids s'était maintenu pendant si longtemps, il semblait évident que je devais avoir changé radicalement mon mode de vie à 37 ans. J'ai eu beau fouiller ma mémoire et questionner mes amis, je ne pus trouver aucun changement significatif à cette époque de ma vie. Je pris tout en considération : conflit affectif possible,

Homme avec 15 % de graisse

Âge	Poids (kilos)	Graisse (kilos)	MM (kilos)	Activité
20	77	11,4	65,6	Lutte
38	74	10,9	63,1	Course
45	61	9	52	Camp de concentration

* La masse adipeuse de cet homme reste à 15 % malgré un changement d'activité qui entraîne une perte de sa masse musculaire.

Prenons, par exemple, un homme à trois périodes différentes de sa vie. À 20 ans, il est à l'université et pratique la lutte, la gymnastique et l'haltérophilie. Ces trois activités ont ajouté du muscle à sa charpente, de sorte que sa masse maigre est de 65,6 kilos. Il a droit à 11,4 kilos de graisse et pèse 77 kilos.

À 38 ans, il est devenu un homme d'affaires et sa seule véritable activité en dehors du ski et d'un peu de golf les week-ends est la course. Grâce à la course, il reste mince et en santé, mais ce n'est pas un sport qui développe beaucoup la masse musculaire. En réalité, comme les muscles supérieurs sont peu sollicités par ce sport, il en perd un peu. C'est pourquoi il n'a désormais que 63,1 kilos de masse maigre. Sa masse adipeuse ne devrait pas dépasser 10,9 kilos ni son poids excéder 74 kilos. Son corps s'adapte parfaitement à son nouveau rôle. Évidemment, un coureur n'a pas besoin de la musculature supérieure du gymnaste. Quand la masse musculaire décroît, le poids doit lui aussi baisser.

Voyons une troisième hypothèse. Supposons que notre homme, maintenant dans la quarantaine, traverse une période de privation extrême : il passe deux ans sous-alimenté dans un camp de concentration ou il souffre d'une maladie chronique débilitante pendant plusieurs années. Il perdra beaucoup de graisse et de masse musculaire. À la fin de cette épreuve, il sera décharné et mince. Sa mère et probablement son médecin voudront le faire engraisser. Moi, je m'y oppose énergiquement. Si sa masse maigre est tombée à 52 kilos, sa masse adipeuse ne devrait pas dépasser 9 kilos et son poids, 61 kilos. Le seul recours pour un tel homme est de recouvrer les muscles perdus en ajoutant seulement la graisse nécessaire pour garder sa masse adipeuse à 15 %. S'il mange pour gagner du poids, il ajoutera seulement de la graisse et finira obèse, comme tous les obèses typiques – et ce, même s'il continue de paraître mince.

En vieillissant, la plupart des Américains sédentaires souffrent non seulement d'une perte de la masse maigre, mais aussi d'une augmentation de l'adiposité.

Voyons maintenant les changements chez une femme sédentaire. Supposons qu'à 20 ans, elle soit en santé avec un taux de graisse de 22 % et un poids de 54,5 kilos. À 35 ans, elle est fière de n'avoir pris que 2,25 kilos, mais, de façon assez typique, son taux de graisse est passé à 30 %. Quand on jette un coup d'œil au tableau ci-dessous, on s'aperçoit que sa masse adipeuse a augmenté de 5,45 kilos, tandis qu'elle a perdu plus de 3 kilos de muscles. Sa masse maigre n'est maintenant que de 39,5 kilos ; pour avoir 22 % de graisse, elle ne devrait pas peser plus de 51 kilos.

Changements corporels typiques chez la femme sédentaire

Âge	Graisse (%)	Poids total (kilos)	Graisse (kilos)	MM	Poids idéal
20	22	54,5	11,8	42,7	54,5
35	30	56,8	17,3	39,5	51

On s'aperçoit que le terme « poids correct » est vraiment assez ambigu. Le « poids correct » de quelqu'un change en fonction des changements qui affectent sa masse maigre. Si la femme de notre exemple fait de l'exercice, elle peut reconstruire sa masse maigre à 43,7 kilos et, d'une certaine manière, reconquérir le droit de peser de nouveau 54,5 kilos. Si elle n'en fait pas, son poids correct est de 51 kilos.

La proportion de masse maigre détermine aussi largement la quantité de nourriture qu'on doit consommer. Après tout, c'est la masse maigre qui brûle les calories. Quand on met de l'essence dans une voiture, c'est la grosseur du moteur qui détermine la consommation et non pas la dimension de la voiture. À toutes fins pratiques, la masse adipeuse n'a pas besoin de calories. Personne n'a besoin de fournir des calories à sa masse adipeuse : les graisses ne *sont* rien d'autre que des calories. Deux personnes peuvent avoir le même poids, mais l'une peut avoir plus de graisse, et donc moins de masse maigre, que l'autre. Si les deux absorbent le même nombre de calories, la personne dont la masse maigre est moins importante engraissera. Au cours des prochaines années, des tables de calories seront disponibles pour indiquer la quantité de calories qu'on peut absorber, compte tenu de l'importance de la masse maigre.

Pour calculer le poids idéal maximum, il faut prendre pour point de départ la partie qui fonctionne chez l'être humain, celle qui brûle les calories toute la journée, même quand on dort : la quantité de tissu métabolisant actif, la masse maigre. Ensuite, on calcule le nombre de kilos qu'on peut ajouter à la masse maigre de sorte que le taux de graisse chez une femme sera de 22 % et de 15 % chez un homme. Quelqu'un qui fait de l'exercice au point d'augmenter sa masse maigre aura besoin d'augmenter son apport en calories, et cette personne pourra augmenter sa masse adipeuse sans dépasser le taux idéal de 22 % ou de 15 %.

Poids en kilos de la masse maigre chez l'homme selon la taille en mètre

1,65	1,67	1,70	1,72	1,75	1,77
49-54,5	50-56,8	51-58,6	53,6-60	55,5-62	57,7-66

1,80	1,83	1,85	1,88	1,90
60,5-69,5	62-74	63,6-76	65-80	66-83

Poids en kilos de la masse maigre chez la femme selon la taille en mètre

1,52	1,55	1,57	1,60	1,62	1,65
32-39	33-40,5	34-41,5	35,5-42	37-43,5	37,5-45

1,67	1,70	1,72	1,75	1,77
39-46,5	41-47	42-49,5	43-52	44,5-54

Ces tableaux donnent les fourchettes de la masse maigre des personnes que j'ai évaluées et dont le taux de graisse était approximativement de 15 % chez les hommes et de 22 % chez les femmes. Malheureusement, je ne dispose pas de données suffisantes pour fournir des repères aux hommes mesurant moins de 1,65 m et aux femmes mesurant plus de 1,77 m. C'est pourquoi ces personnes doivent évaluer leur masse maigre désirable en se reportant à la taille la plus proche de la leur. On peut calculer son poids idéal en divisant sa masse maigre par 0,85 si on est un homme et par 0,78 si on est une femme.

8

Quel est le remède à toute cette graisse ?

La première chose à faire est de ne jamais oublier que le problème n'est pas l'excès de graisse, mais l'absence d'entraînement musculaire de type athlétique. Avoir un surplus de 9 kilos de graisse n'est pas aussi mal qu'on le dit. Supposons que vous transportiez un sac à dos pesant 9 kilos tout le jour. Qu'est-ce qu'il y a de mal à ça ? Cette surcharge pourrait mettre quelqu'un en mauvaise condition physique, mais si le poids était ajouté lentement, il pourrait être un bon moyen de se mettre en forme. Quand je faisais de la patrouille à ski, skier toute la journée avec une trousse de premiers soins de 4 kilos et demi ne me dérangeait pas du tout. Quelques années plus tard, quand j'accusai un *surplus de poids* de 4 kilos et demi, je l'ai vraiment remarqué. Je ne veux pas insinuer qu'un excès de graisse est une bonne chose, mais que l'absence d'une musculature en bon état est mauvaise. Ce sont les changements corporels accompagnant cet excès de graisse qui minent.

Au fur et à mesure qu'un muscle fait place à de la graisse, non seulement la dimension du muscle décroît-elle (le besoin de calories baissant par le fait même), mais aussi la chimie du muscle restant change de manière à avoir moins besoin de calories.

Suivre une diète peut réduire le poids de votre « sac à dos » de graisse, mais cela ne peut augmenter la masse musculaire ou renverser une chimie musculaire mal en point. Une diète attaque d'abord la graisse sous-cutanée ; il faudrait vivre dans les conditions d'un camp de concentration pour enlever la graisse intramusculaire. Même quand on est prêt à se parce qu'il faut quelques minutes au cœur pour atteindre son seuil d'entraînement. (Le seuil d'entraînement fait l'objet du chapitre 11.)

Ce principe a servi à regrouper en trois catégories plusieurs des meilleurs exercices aérobiques du tableau ci-dessous. Quand on choisit un exercice de la catégorie 2, dont le temps minimum requis est de 15 minutes, le cœur a besoin d'environ 3 minutes pour atteindre son seuil d'entraînement. Avec un exercice de la catégorie 3, il a besoin d'environ 8 minutes pour atteindre son seuil d'entraînement. En fait, on doit ajouter une période de réchauffement aux 12 minutes d'exercices.

Exercices aérobiques

1 *Temps minimum requis 12 minutes*	2 *Temps minimum requis 15 minutes*	3 *Temps minimum requis 20 minutes*
Corde à danser	Jogging	Cyclisme
Marchepied	Course	Bicyclette stationnaire
Ski de fond	Danse	Patin à glace
Rame	Mini-trampoline	Patin à roulettes
		Natation

Si on s'aperçoit que la course (activité de la catégorie 2) ne demande qu'une minute au cœur pour atteindre son seuil d'entraînement, on peut en théorie s'arrêter après 13 minutes. Toutefois, ce n'est pas recommandé. Il ne faut pas essayer de se réchauffer rapidement en courant vite pendant les premières minutes. À l'inverse, si le cœur met plus de temps à atteindre son seuil d'entraînement, il faut alors allonger la période de temps suggérée pour une activité donnée. La règle est simple : le cœur doit travailler 12 minutes après avoir atteint son seuil d'entraînement et on doit ajouter la période de temps nécessaire pour qu'il y parvienne, peu importe le temps que ça lui prend. Il est difficile de déterminer cela par soi-même, aussi est-il recommandé de s'en tenir au tableau précédent.

Voici l'autre question qui se pose logiquement : s'il est bon de s'entraîner 12 minutes sans dépasser sa fréquence cardiaque cible, ne serait-ce pas mieux de le faire pendant 24 minutes ? La réponse, bien sûr, est oui. Mais les 12 premières minutes produisent un effet bien plus durable que les 12 dernières. On recommande instamment à toute personne de faire plus de 12 minutes d'activité physique si elle le désire, sachant qu'elle progressera plus rapidement. Il faut admettre, cependant, qu'on retire de moins en moins de bienfaits de ses efforts au-delà de la période de 12 minutes. C'est un exemple de la loi des bienfaits régressifs. Pour cette raison, on recommande aux débutants de faire 12 minutes d'exercices 6 fois par semaine plutôt que 30 minutes 3 fois par semaine. La dernière fréquence profitera peut-être plus aux personnes qui sont déjà en forme. De très longues séances d'entraînement constituent probablement le seul moyen, pour elles, d'atteindre un niveau d'entraînement pour la compétition. Mais on les déconseille à la majorité de la population.

Il ne faut pas mal interpréter l'importance accordée ici à l'exercice. Je *ne* prétends *pas* que la pratique quotidienne de l'exercice brûle beaucoup de calories. Vingt minutes de jogging, par exemple, brûlent seulement 180 calories, ce qui est à peu près l'apport calorique d'un verre de lait. Il faudrait faire du jogging pendant des jours pour se débarrasser des calories contenues dans un parfait au fudge. Plusieurs études montrent que chaque minute d'exercice brûle quelques calories. Mais nous en brûlons même quand nous *ne* faisons *pas* d'exercices, même quand nous dormons. Et un organisme habitué à l'exercice brûle plus de calories.

Qui plus est, ces études négligent les effets cumulatifs à long terme. Il est ridicule de s'attendre à un renversement de la perte enzymatique dans les muscles et de l'infiltration adipeuse du muscle dans de courtes périodes. Il faut des mois, et même des années, pour que de tels changements se produisent chez les gens très gras.

Ce chapitre insiste sur le fait que l'exercice approprié change la musculature qui, en retour, altère la consommation des calories. C'est un fait simple que ceux qui pratiquent régulièrement une activité aérobique n'engraissent pas. Si on vendait une pilule pour empêcher la tendance de l'organisme à fabriquer de la graisse, tous les obèses feraient la file pour l'acheter. JE SUIS EN TRAIN DE VOUS OFFRIR CETTE PILULE : IL NE FAUT QUE 12 MINUTES POUR L'AVALER.

9

Avec quelle intensité devrait-on faire de l'exercice?

Les informations contenues dans ce chapitre comportent quelques changements d'importance depuis la publication de mon premier livre en 1977. Le premier changement est le suivant: mon insistance pour que chacun fasse de l'exercice à 80 pour cent de sa capacité cardiaque maximum a été modifiée par des recherches qui montrent qu'on peut apporter un très grand nombre de changements métaboliques en faisant de l'exercice avec moins d'intensité. Il est évident qu'il est beaucoup plus facile de travailler avec un taux variable d'entraînement qu'avec un nombre absolu. Il permet de varier l'intensité et la durée de la séance d'entraînement en fonction de besoins spécifiques. Quand on est pressé, par exemple, on peut s'exercer avec plus d'intensité en visant la limite supérieure de la fourchette pendant une période de temps plus courte et bénéficier d'une bonne séance aérobique capable de faire fondre la graisse. D'un autre côté, on peut ralentir le rythme et faire une séance plus longue pour en retirer les mêmes bienfaits. Quand on reste à l'intérieur de sa fréquence cardiaque cible, une longue séance d'entraînement tout en douceur est tout aussi efficace qu'une séance plus courte et plus intense.

Dans certains cas, diminuer l'intensité est obligatoire! Par exemple, l'organisme des personnes âgées se régénère plus lentement. Si elles maintiennent leur effort à 80 pour cent, leurs muscles pourraient avoir de la difficulté à récupérer complètement en 24 heures. Si elles le font chaque jour, elles pourraient perdre la forme plutôt que de devenir plus en forme.

l'exercice, on essaie d'augmenter le nombre d'enzymes qui brûlent les graisses. Un minimum de 12 minutes d'une activité douce et continue semble être le temps nécessaire pour déclencher la stimulation de cette croissance.

Avant d'aller plus loin, il faut être sûr de comprendre la différence entre la consommation effective des graisses et la croissance des enzymes qui brûlent les graisses. C'est la même différence qu'il y a entre brûler des bûches dans un foyer et construire un foyer pour brûler des bûches. Les obèses ont un âtre très restreint qui ne peut brûler que quelques bûches de graisse. Douze minutes d'exercice aérobique aident à construire, sur une période de plusieurs mois, un foyer plus gros capable de brûler plusieurs bûches de graisse. Bien qu'une activité aérobique brûle EFFECTIVEMENT des graisses, l'augmentation du nombre d'enzymes qui brûlent les graisses est le véritable objectif de l'entraînement. Il faut de plus en plus d'enzymes qui « brûlent du beurre », de sorte que, dans un an, les calories utilisées pendant la séance d'entraînement seront dans une plus grande proportion des lipides (graisses) au lieu des glucides (sucre). Il faut augmenter le nombre d'enzymes qui brûlent les graisses pour que, dans un an, le corps soit devenu une machine à brûler les graisses plutôt qu'une machine à emmagasiner la graisse. On désire tous avoir un corps qui brûle facilement les graisses même quand on ne s'entraîne pas.

La période d'exercice minimum requise pour augmenter ces enzymes dépend de la quantité de muscles sollicités. Plus on sollicite de muscles, moins on a besoin d'y consacrer de temps. Si on remue les doigts vigoureusement 30 minutes par jour, on ne peut s'attendre à un gros changement ailleurs dans le corps. Le nombre de muscles sollicités est si faible que le cœur, les poumons et l'appareil à brûler les graisses le remarqueront à peine. Si remuer les doigts était un exercice aérobique, il n'y aurait pas de pianiste obèse. Ce n'est pas avant d'avoir commencé à solliciter les gros muscles de la partie inférieure du corps qu'on produit un changement dans tout l'organisme.

Plus le nombre de muscles sollicités par un exercice est élevé, plus cela réduit le temps nécessaire pour stimuler la croissance enzymatique. Ce qui est en cause ici, c'est la *proportion* des muscles sollicités par rapport au poids corporel total. Il y a beaucoup de muscles dans la partie supérieure du corps, mais un exercice qui fait travailler la partie supérieure du corps n'est pas assez aérobique parce que la proportion des muscles sollicités par rapport au poids total est faible.

Ayant établi qu'un exercice doit faire travailler les muscles des membres inférieurs pour être aérobique, voyons pourquoi différents exercices requièrent différentes périodes de temps minimum pour stimuler la croissance enzymatique. Prenons un exercice qui fait travailler seulement les muscles de la partie inférieure du corps. La bicyclette stationnaire nous vient immédiatement à l'esprit. Elle sollicite principalement les jambes et, peut-être, un peu les fesses. Solliciter autant de muscles va produire une réponse systémique, mais il faudra environ huit minutes avant qu'elle commence, comme le démontre l'augmentation plus lente du rythme cardiaque et l'accélération plus lente de la respiration. Dès que la réponse systémique est enclenchée, on commence ALORS à calculer 12 minutes. Dans les faits, le rendement de 20 minutes de bicyclette stationnaire, c'est 12 minutes d'exercice aérobique et 8 minutes de réchauffement.

Quand on commence à faire du jogging, on sollicite un plus grand nombre de muscles. On balance un peu les bras, la foulée a du ressort et même des muscles auxquels on ne pense pas, comme les muscles de la poitrine, contribuent à l'effort général. Il semble que 15 minutes de jogging soient suffisantes pour produire les mêmes résultats aérobiques que 20 minutes de bicyclette stationnaire. Quand on se lance dans une activité vraiment vigoureuse telle que le ski de fond, presque chaque muscle du corps travaille, et le temps minimum requis pour une réponse aérobique tombe à 12 ou 13 minutes. L'augmentation du rythme cardiaque et l'accélération de la respiration sont presque instantanées, ce qui veut dire que la réponse systémique aussi est presque instantanée.

La marche est un mouvement incroyablement facile et efficace, qui fait appel à très peu de muscles. Les gens très malades peuvent s'adonner à cette activité. On a déjà vu des victimes de fractures multiples quitter les lieux d'un accident en marchant. Je ne parle pas de marche avec un sac à dos, de marche en montagne, de marche forcée ou de marche rapide.

Je parle seulement de marche ordinaire sur un plan horizontal. Ça ne fait pas travailler beaucoup de muscles. De 30 à 40 minutes de marche continue sont probablement suffisantes pour produire des bienfaits aérobiques.

On s'aperçoit donc qu'un exercice très aérobique doit durer au moins 12 minutes. Dès lors, selon l'intensité avec laquelle on sollicite la musculature et, par conséquent, selon la durée du réchauffement nécessaire pour que commence la réponse systémique, il faut ajouter quelques minutes. Les exercices des catégories 1, 2 et 3 fournies au chapitre 8 ne doivent servir que de guides. Au fur à mesure que quelqu'un devient plus habile à fixer l'intensité de son entraînement en vérifiant son rythme cardiaque et sa respiration (décrits aux chapitres 11 et 12), il sait automatiquement quand son entraînement est aérobique et à quel moment il doit commencer le décompte des 12 minutes.

L'EXERCICE AÉROBIQUE :

- est continu et ininterrompu ;
- dure au moins 12 minutes ;
- a un rythme confortable ;
- sollicite les muscles inférieurs.

11

Comment savoir que l'on a atteint sa fréquence cardiaque cible

Vous vous dites probablement à l'instant même : « D'accord, je comprends qu'il existe tout un éventail d'intensités quand on s'entraîne et qu'en certaines circonstances, je peux tirer plus de bénéfices si je m'entraîne lentement et modérément. Mais comment savoir que j'ai atteint ma fréquence cardiaque cible ? »

Voici un autre changement important apporté à ce que j'écrivais en 1977. À cette époque, on calculait principalement l'intensité d'une activité physique d'après la formule suivante : *220 moins son âge = fréquence cardiaque maximum.*

On pensait alors que cette formule s'appliquait à presque toute la population, soit 86 pour cent. On sait maintenant qu'elle ne s'applique qu'à environ 60 pour cent des gens. Le cœur d'environ 15 pour cent de la population bat beaucoup plus lentement que la fréquence maximum et le cœur d'un autre 15 pour cent bat beaucoup plus vite. Cela ne veut pas dire que le cœur de ces personnes soit anormal ou qu'il fonctionne mal. Ça signifie seulement qu'elles ne sont pas dans la moyenne.

Supposons une personne âgée de 30 ans dont le cœur bat plus vite que la moyenne quand elle s'entraîne. On s'attendrait à ce que son cœur batte à 190 pulsions à la minute (220 – 30) quand elle se donne à fond. Mais le sien bat à 210 pulsions. C'est comme si cette personne avait un cœur de motocyclette : il est en parfait état, mais il est bâti pour fonctionner à haut régime. Quand cette personne s'entraîne, son cœur bat beaucoup plus rapidement que ce qu'il devrait selon tous les tableaux, et son entraîneur d'aérobique peut craindre qu'elle ne meure dans la minute qui suit. Mais elle n'en mourra pas, tout simplement parce que son cœur bat très vite et est, par le fait même, une exception qui confirme la règle.

Un autre 10 pour cent de la population (je ne fais ici qu'avancer un chiffre) prend des médicaments qui affectent le rythme cardiaque. Ces personnes peuvent faire partie de la moyenne, mais les médicaments ralentissent artificiellement leur rythme cardiaque pendant une séance d'entraînement. La vérification du pouls n'est pas non plus une mesure fiable de l'intensité de l'entraînement pour ce groupe.

Quand on additionne les 15 pour cent de personnes qui ont un rythme cardiaque lent, les 15 pour cent de celles qui ont un rythme cardiaque rapide et les 10 pour cent (environ) de celles qui prennent des médicaments, on obtient une proportion de 40 pour cent de la population pour qui la formule, 220 moins l'âge, devient tout à fait inappropriée. Elle n'est utile que pour environ 60 pour cent de la population.

Avant d'aborder le sujet du contrôle de la fréquence cardiaque pendant l'entraînement, voyons une nouvelle méthode. Cette nouvelle approche consiste seulement à se fier au bon sens. Quand on fait des exercices aérobiques, on doit garder à l'esprit le but ultime de cet entraînement. Il ne faut pas essayer de brûler beaucoup de calories. On est en train de dire à son corps : « S'il te plaît, adapte-toi à cet effort de sorte que demain, je pourrai m'entraîner avec plus d'ardeur que je ne le fais maintenant. »

Ce qu'on recherche vraiment, c'est un phénomène d'adaptation étant donné que le corps semble s'adapter à tous les stimuli qu'il reçoit. Il s'adapte à un entraînement intensif et sévère en changeant les muscles pour qu'ils brûlent une grande quantité de sucre et peu de graisse. Par ailleurs, un entraînement lent et modéré transforme les muscles en machines à brûler les graisses. Ce qui compte vraiment, c'est le temps passé à inciter le corps à changer. Le corps s'adapte magnifiquement à une pression continue, de même que la pression constante et modérée d'un appareil dentaire peut déplacer les dents. On voit des hommes qui courent comme des fous sur le terrain d'athlétisme de leur municipalité, fiers de pouvoir couvrir un kilomètre et demi en six minutes, et qui se demandent encore pourquoi ils ont toujours un surplus de graisse à la taille. S'épuiser de la sorte est aussi efficace pour contrôler son poids que d'essayer de rectifier une dentition avec un marteau. Il faut courir plus lentement et plus longtemps, et laisser son corps s'adapter.

En gardant cela à l'esprit, il suffit d'ajuster l'intensité de son entraînement : le rythme doit être assez confortable pour qu'il soit possible de dépasser le minimum des 12 minutes sans se sentir fatigué. Il faut respirer à fond, sans haleter. Certains appellent cela le « niveau perceptible d'épuisement », tandis que d'autres parlent tout simplement de « test de la parole ». Supposons deux personnes qui font du jogging ensemble. L'une d'entre elles est capable de parler, l'autre non. Les deux devraient être en mesure de parler un peu, mais aucune ne devrait être capable de chanter une chanson. Pour le plaisir, essayez de chanter *Gens du pays*. Si vous ne pouvez vous rendre plus loin que les premiers mots sans haleter, votre entraînement est trop intensif. Par ailleurs, si vous arrivez jusqu'à la deuxième phrase : « de te laisser parler d'amour » avant d'avoir perdu le souffle, vous devriez accélérer le rythme.

Quand j'enseigne à quelqu'un comment s'entraîner, j'utilise le test appelé « Parlez-moi ». Ça revient essentiellement au même. Quand quelqu'un fait de la bicyclette stationnaire, je lui demande : « Pouvez-vous parler ? Comment vous appelez-vous ? Où habitez-vous ? Quel est votre numéro de téléphone ? » Si la personne ne peut me parler sans souffler, haleter ou gémir, je sais que la tension de la roue est trop élevée ou qu'elle pédale trop vite. Que ce soit pour l'une ou l'autre raison, elle fait un exercice *ana*érobique. Ses muscles travaillent sans apport d'oxygène.

S'entraîner d'après le niveau perceptible d'épuisement ou en se servant du test de la parole revient seulement à s'en remettre au bon sens. Quand on s'entraîne, il faut penser : « Suis-je en train de faire quelque chose d'assez modéré et facile qui me permette de continuer 20, 25 ou 30 minutes ? Ce soir, mon corps aura-t-il changé, résultat de cet exercice, ou suis-je en train de m'entraîner trop lentement ou trop vite ? » Si on peut parler en hésitant ou si on respire profondément mais confortablement, alors on est en plein dans la fréquence cardiaque cible. Il n'y a rien de mal à s'entraîner à l'occasion en dépassant sa fréquence cardiaque cible, mais ça ne répond pas aux normes de l'aérobique.

Quand on a trouvé son niveau d'entraînement confortable, il faut essayer de prendre son pouls. Pour 60 pour cent de la population, le pouls devrait se situer entre 65 et 80 pour cent de la formule 220 moins l'âge (le rythme cardiaque maximum). Mais on peut aussi appartenir à l'autre 40 pour cent. Il faut alors se fier au bon sens et garder à tout prix un niveau d'entraînement confortable. Chacun s'apercevra probablement que son rythme cardiaque pendant l'entraînement, à un niveau confortable, atteint entre 65 et 80 pour cent de son véritable rythme cardiaque maximum sous-jacent, tel que déterminé sur un tapis roulant.

Même si le contrôle cardiaque pendant un exercice ne convient pas à tout le monde, nous persistons à le recommander comme un outil utile. Après avoir présenté ces deux nouvelles données, c'est-à-dire que la formule 220 moins l'âge ne convient pas à tout le monde, et que s'entraîner à faible intensité est beaucoup plus efficace que nous l'avions pensé au départ, voyons comment fonctionne exactement le contrôle cardiaque.

12

L'exercice à fréquence cardiaque contrôlée

Jetons un coup d'œil aux personnes dont le cœur ne bat ni trop vite ni trop lentement pendant l'entraînement ou qui ne prennent pas de médicaments qui affectent le rythme cardiaque. Parlons tout simplement de l'homme moyen ou de la femme moyenne, qui forment à peu près 60 pour cent de la population. Ces gens peuvent faire un bon usage du contrôle cardiaque pendant et après l'entraînement afin de connaître l'intensité de leur exercice.

Fréquence cardiaque recommandée pendant l'entraînement*

Âge	*Fréquence cardiaque maximum*	*85 % du maximum (fréquence de l'athlète à l'entraînement)*	*65-80 % du maximum (fréquence d'entraînement recommandée)*	*65 % du maximum (problème cardiaque)*
				Ne pas dépasser
20	200	170	130-160	130
25	195	166	127-156	127
30	190	162	124-152	124
35	185	157	120-148	120
40	180	153	117-144	117
45	175	149	114-140	114

Fréquence cardiaque recommandée pendant l'entraînement* (suite)

Âge	*Fréquence cardiaque maximum*	*85 % du maximum (fréquence de l'athlète à l'entraînement)*	*65-80 % du maximum (fréquence d'entraînement recommandée)*	*65 % du maximum (problème cardiaque)*
				Ne pas dépasser
50	170	145	111-136	111
55	165	140	107-132	107
60	160	136	104-128	104
65 +	150	128	98-120	98

* Basée sur la fréquence cardiaque au repos qui est de 72 pour les hommes et de 80 pour les femmes. Les hommes de plus de 40 ans et les personnes qui souffrent de problème cardiaque devraient passer un électrocardiogramme avant d'entreprendre un programme d'exercices.

Comme le montre le tableau, la fréquence cardiaque atteint un maximum en fonction de l'âge, et le cœur ne battra pas plus rapidement peu importe l'intensité de l'entraînement. Pour les jeunes gens de 20 ans et moins, ce maximum est d'environ 200 pulsions à la minute. Le cœur d'une personne de 40 ans a un maximum de 180 pulsions à la minute.

On peut penser qu'un athlète bien entraîné aurait une fréquence cardiaque maximum supérieure à quelqu'un qui n'est pas en forme. Il n'en est rien. On peut aussi penser que les femmes ont une fréquence maximale supérieure à celle des hommes, étant donné qu'elles sont en général plus petites. Mais il y a seulement de légères différences entre la fréquence maximale des hommes et celle des femmes.

Pour qu'un entraînement quotidien et régulier soit efficace, on devrait travailler juste assez fort pour faire grimper sa fréquence cardiaque à 65-80 pour cent de la fréquence maximale pour son âge. Une personne de 40 ans, dont la fréquence maximale est de 180, devrait s'entraîner assez fort pour que sa fréquence ne dépasse pas 80 pour cent de ce maximum: 80 pour cent de 180 égale 144 pulsions à la minute.

Supposons trois hommes de 40 ans. Le premier n'est absolument pas en forme, ce qui signifie qu'il a beaucoup de graisse intramusculaire aussi bien qu'une évidente couche de graisse sous-cutanée qui apparaît sous la peau. Il peut facilement faire grimper son pouls à 144 tout simplement en marchant avec entrain. Le deuxième homme, en meilleure forme, doit faire du jogging pour atteindre 144 pulsions à la minute. Le troisième homme de 40 ans, mince et athlétique, doit courir assez vite pour atteindre la même fréquence cardiaque. On peut penser que le troisième s'entraîne avec plus d'ardeur et que le premier est plutôt paresseux. Mais, à vrai dire, ils s'entraînent tous également, tirant les mêmes bénéfices pour le cœur, les poumons et les muscles.

Pendant des années, l'obèse qui a fait du jogging avec un ami en forme croyait qu'il devait courir au même rythme pour tirer le même profit de cet exercice. Maintenant, il sait qu'il devrait marcher, faire du jogging ou courir à la vitesse qui lui permet d'atteindre la fréquence cardiaque qui lui convient.

Certains maris qui sont athlétiques se sentent souvent coupables de pousser leur femme à adopter un exercice trop épuisant. Ils forcent leur femme à « faire un peu de jogging ensemble ». Il court plus lentement pour elle et elle court plus vite pour lui. Lui est sous-entraîné et elle est surentraînée : c'est un entraînement inefficace pour tous les deux. Les hommes et les femmes devraient réfléchir avant de s'entraîner ensemble à cause de la différence de leur masse musculaire. L'homme moyen a 20 pour cent plus de muscles que la femme moyenne et 30 pour cent moins de graisse.

Si l'homme est beaucoup plus âgé que la femme, ou si sa condition physique n'est pas très bonne alors que celle de la femme est bonne, alors oui, courir ensemble peut bien fonctionner. Autrement, les femmes tireront plus de profit de leur entraînement si elles ralentissent et s'entraînent seules ou avec d'autres femmes.

Il ne faut jamais laisser quiconque nous inciter à nous entraîner à son rythme. Pour connaître sa fréquence cardiaque cible, il suffit de consulter le tableau des fréquences aux pages 63 et 64. Ensuite, il faut choisir n'importe quel exercice aérobique continu, ou encore n'importe quel exercice continu. Il faut exécuter cet exercice en gardant sa fréquence cardiaque cible, au moins 12 minutes sans arrêt, 6 fois par semaine. Les premières fois, on doit s'arrêter après une ou deux minutes pour prendre son pouls. Si le pouls est plus lent que la fréquence cible, l'entraînement n'est pas assez intensif. Si le pouls est trop élevé, il suffit de ralentir un peu le rythme. Prendre son propre pouls s'appelle « exercice à fréquence contrôlée ». C'est comme si le meilleur entraîneur du monde s'occupait de vous.

Voici quelques tuyaux sur la façon de prendre son pouls. Il faut une montre ou une horloge avec une trotteuse. On peut trouver son pouls sur la face interne du poignet. Il arrive que les femmes ou les personnes âgées aient de la difficulté à trouver leur pouls sur le poignet, il faut alors essayer de le trouver sur le cou. On appuie les doigts sur le côté du cou. L'un des doigts trouvera le pouls. Il ne faut jamais prendre son pouls avec le pouce parce qu'il a son propre pouls et qu'on peut compter deux battements au lieu d'un seul. Quand on a trouvé le pouls, on compte pendant exactement six secondes. On multiplie le nombre de pulsions qu'on a comptées par 10. La plupart des gens obtiendront un total de 60, 70, 80 ou 90. On prend son pouls une autre fois et, cette fois, on fait attention de noter si on est entre deux nombres à la fin des six secondes. On peut facilement compter une demi-pulsion ou même un quart de battement. Par exemple, supposons quelqu'un qui compte son pouls : « Un, deux, trois, quatre, cinq, six et demi. » Cela donne un pouls de 65.

C'est le pouls au repos. Il faut prendre son pouls plusieurs fois pendant une journée pour déterminer la *moyenne* de son pouls au repos. Comme je l'ai déjà dit, la plupart des femmes ont une moyenne d'environ 80 battements à la minute et les hommes une moyenne d'environ 72 battements à la minute. Nous voici confrontés de nouveau au mot « moyenne ». Avoir un pouls au repos de 72 ou de 80 peut faire partie de la moyenne, mais il serait *normal* d'en avoir un beaucoup plus faible. Plus la forme physique s'améliore, plus le pouls au repos baisse. Il arrive qu'à l'occasion, le pouls de très grands athlètes au repos soit aussi bas que 35. À l'inverse, quand on est malade et qu'on fait de la fièvre, le pouls augmente parfois au-delà de 100 battements à la minute.

J'ai un bon ami qui est un superathlète. Ed a failli participer à *trois* disciplines différentes aux Olympiques. Nous faisions du camping un jour et j'ai décidé de prendre son pouls. D'abord, j'ai cru m'être trompé d'endroit parce que je ne pouvais sentir un seul battement. Il a essayé de trouver le point précis et a eu, lui aussi, de la difficulté. Eh bien, il s'est avéré que nous n'avions pas attendu assez longtemps ! Ed avait un pouls au repos de 36 battements à la minute ! Alors je lui ai dit : « Ed, qu'arrive-t-il quand tu fais de l'exercice ? » Il ne le savait pas, mais il a eu l'amabilité de faire une course d'un kilomètre et demi à travers les bois, sautant par-dessus les arbres et les arbustes qui lui bloquaient la route. Il revint au camp 7 minutes plus tard, et je pris rapidement son pouls. Il avait grimpé à 39 !

Il faut se faire une idée de la réserve de cet homme. Pour chaque battement de cœur, quatre litres de sang doivent sortir. Quand il s'entraîne, son cœur doit se dire : « Je suppose qu'il veut que je pompe encore plus de sang. » Et il pompe quatre litres supplémentaires. Quand on s'entraîne de la bonne façon et assez longtemps, le muscle cardiaque devient plus fort et pompe plus lentement plus de sang pour chaque battement.

On peut réagir négativement à la perspective de prendre le pouls sur une période aussi courte. Les membres du corps médical sont si convaincus qu'il faut 15 secondes pour prendre le pouls, qu'ils assument aussitôt que le prendre pendant 6 secondes est une approche de profane. Je dois admettre que moi-même, j'ai réagi de la même manière au départ. Mais si on veut mesurer le pouls pendant l'entraînement, il est habituellement nécessaire d'arrêter de s'entraîner momentanément. Comme on se repose, le cœur, bien naturellement, commence à se reposer lui aussi, et le pouls baisse rapidement. Si on prend le pouls pendant les 15 secondes habituelles, le décompte sera complètement faussé parce que le cœur battra plus rapidement au début du décompte et plus lentement à la fin. De plus, comme le rythme cardiaque ralentit plus rapidement au fur et à mesure qu'on améliore sa condition physique, prendre le pouls en 6 secondes devient de plus en plus important quand on devient plus en santé.

Le seul exercice qui permette de prendre son pouls pendant qu'on s'entraîne sans s'arrêter, c'est la bicyclette stationnaire.

Quand on veut vérifier son pouls avec tout autre exercice, il faut s'arrêter et faire un décompte *rapide* pendant 6 secondes. (Il faut se rappeler que les résultats du pouls pris pendant 15 secondes ne sont pas fiables dans ces conditions.) Quand on commence à faire un nouvel exercice, on peut devoir s'arrêter plusieurs fois pour vérifier son pouls jusqu'à ce qu'on sache exactement l'effort qu'il faut donner pour atteindre sa fréquence cardiaque cible. Par la suite, on doit être capable de s'entraîner 12 minutes sans arrêt et de ne faire qu'un contrôle à la fin.

J'ai déjà dit à plusieurs reprises qu'il ne fallait pas pousser son rythme cardiaque au-delà de la fréquence cible. Il faut vérifier souvent la fréquence cardiaque cible. Plusieurs personnes s'aperçoivent qu'après avoir suivi un programme pendant plusieurs semaines, leur cœur n'atteint pas sa fréquence cible. Dans la plupart des cas, cela signifie simplement qu'il faut courir plus vite, pédaler en ajoutant de la résistance, sauter plus haut, etc. Et si cela ne vous attire pas, changer d'exercice vous permettra d'atteindre la fréquence cible.

On me demande souvent si les personnes âgées et celles qui sont en très mauvaise condition physique doivent « se lancer » dans un programme d'entraînement. N'est-ce pas trop demander à ces gens de démarrer en s'entraînant 12 minutes par jour ? Certainement pas ! Toute la valeur de l'aérobique réside dans le fait qu'elle prévient le surentraînement. Quand on n'est vraiment pas en forme, marcher avec entrain pendant la période requise sans haleter peut s'avérer une chose infaisable. Il faut alors diminuer *l'intensité* de l'exercice, et non pas le temps consacré à le faire. Que vous traîniez de la patte n'a pas d'importance, si vous le faites sans arrêt pendant 12 minutes.

Faire de l'aérobique modérément, en ne dépassant pas 80 pour cent de son rythme cardiaque maximum, fait beaucoup plus de bien qu'on ne le pensait au départ. Que vous utilisiez le contrôle cardiaque ou le test de la parole, fiez-vous au bon sens. Vous n'êtes pas en train de brûler beaucoup de calories ou de construire beaucoup de muscles. Vous êtes en train de demander à votre corps de s'adapter à un exercice *après que l'exercice sera fini*. Demandez à votre corps de s'adapter de la même façon qu'un orthodontiste déplace les dents, c'est-à-dire en douceur.

13

L'électrocardiogramme en état de stress

La crise cardiaque est un phénomène si commun et si désastreux en Amérique du Nord que je me permets de faire ici quelques commentaires. On ne peut plus mettre en doute le fait que l'exercice aérobique régulier prévient la crise cardiaque. Mais il arrive de temps en temps que quelqu'un succombe à une crise cardiaque pendant qu'il fait du jogging – et dire qu'il en faisait pour éviter la crise cardiaque ! Quelques médecins utilisent ces cas isolés de crise cardiaque survenue pendant l'entraînement pour décourager leurs patients de faire de l'exercice. Cela revient à dire qu'on ne devrait pas appeler l'ambulance parce qu'il pourrait être impliqué dans un accident en se rendant à l'hôpital.

Des crises cardiaques surviennent pendant l'entraînement, particulièrement quand on dépasse le rythme confortable que je vous enjoins de respecter. Le meilleur moyen de savoir si vous courez le risque de faire une crise cardiaque consiste à passer un électrocardiogramme en état de stress (ECG). La plupart des ECG sont pris lorsque le sujet est couché ; ils ne détectent donc pas une anomalie possible pendant l'entraînement. On appelle ces tests, « électrocardiogramme au repos ». Le test qu'il nous faut, on doit le passer pendant qu'on bouge.

Une voiture peut rouler à la perfection quand son moteur tourne au ralenti, mais avoir de piètres performances à haut régime sur l'autoroute. C'est pourquoi, pendant la mise au point, un mécanicien doit faire tourner le moteur rapidement pour savoir comment il se comportera sur une autoroute. De même, si un médecin fait subir un examen physique

« complet », incluant une analyse d'urine, une analyse du sang et un ECG au repos, sans rien trouver d'anormal, tout ce qu'il peut dire, c'est : « Vous vous porterez à merveille en autant que vous ne bougerez pas. »

Pour savoir comment réagira le cœur pendant l'entraînement, on demande au patient de marcher, puis de faire du jogging, et enfin de courir sur un tapis roulant pendant qu'on fait subir un ECG à son cœur. Un ECG en état de stress indique avec fiabilité s'il y a un risque de problème cardiaque pendant l'entraînement. La vitesse du tapis roulant augmente graduellement de sorte que l'intensité de l'effort du patient augmente graduellement. Le médecin peut mettre fin au test au premier signe de faiblesse plutôt que d'attendre la crise cardiaque.

L'ECG en état de stress est un excellent test à passer avant d'entreprendre un programme d'exercices, en particulier pour les hommes de plus de 40 ans et les autres groupes à risque (ceux qui ont des antécédents personnels ou familiaux de maladie cardiaque, ceux dont le taux de cholestérol est élevé, ou qui mènent depuis longtemps une vie sédentaire).

14

Aérobique ou anaérobique : quelle est la différence ?

On peut répondre à plusieurs des questions qui surgissent quand on lit un livre tel que celui-ci seulement en discutant des réactions chimiques qui se produisent dans la cellule d'un muscle. On a écrit sur ce sujet des livres avec des titres peu attirants comme *Métabolisme intermédiaire* ou *Chimie physiologique*. Croyez-moi, ce n'est pas le genre de lecture très agréable pour un dimanche après-midi. Malgré tout, je vais essayer de donner un aperçu des réactions chimiques impliquées dans la cellule d'un muscle quand elle entreprend d'extraire de l'énergie des aliments que nous mangeons. Les chimistes m'en voudront de simplifier à outrance. En retour, on peut leur en vouloir de rendre cette information importante si ardue qu'elle ne procure aucun plaisir. Si la lecture de ce chapitre vous ennuie, passez simplement aux suivants et revenez-y après votre prochaine séance d'entraînement aérobique, quand les cellules de votre cerveau seront mieux oxygénées.

Les cellules des muscles tirent leur énergie en brûlant le glucose des glucides, les acides gras des graisses et les acides aminés des protéines. Mais, dans ce contexte, qu'est-ce que « brûler » veut vraiment dire ?

La combustion cellulaire ne rejoint pas l'image qu'on se fait de la combustion. Supposons une petite construction en bois dans une cour arrière qui n'est plus utile. Son propriétaire décide de la défaire et d'utiliser le bois pour d'autres projets. Il lui faudra procéder avec soin, étape par étape, afin d'éviter d'endommager les planches. Il serait beaucoup plus simple d'allumer une allumette et de brûler la construction, sauf qu'il n'y aurait plus de bois à affecter à d'autres projets. La combustion cellulaire ressemble à la déconstruction d'un édifice, un processus fait avec soin qui requiert à chaque étape des outils spéciaux appelés enzymes, plutôt qu'à sa destruction par le feu.

Il est capital de réaliser l'importance des enzymes impliquées dans le processus. Chaque cellule a littéralement besoin de centaines de ces outils sophistiqués, et chacune est assez différente des autres. Les enzymes, qui sont constituées de protéines, sont de grosses molécules complexes qui ne peuvent traverser la paroi d'une cellule. Parce que les molécules d'une enzyme sont aussi grosses, il est fou de croire que les enzymes ajoutées à la diète ou injectées dans le sang finiront dans les cellules des muscles. La seule façon d'augmenter le nombre d'enzymes dans un muscle, c'est de stimuler l'ADN, le chef d'atelier de la cellule, à *fabriquer* plus d'enzymes à l'intérieur même des cellules. Ce processus s'appelle la biosynthèse enzymatique, et il ne se produira que si on a une alimentation adéquate, si les cellules ne sont pas malades et si l'on s'entraîne à stimuler l'ADN à faire son travail.

Les enzymes sont des protéines fragiles. Tandis que toutes les protéines du corps se détériorent continuellement et sont automatiquement réparées par l'ADN, les enzymes sont les protéines qui se détériorent le plus rapidement. Quand on ne s'entraîne pas, l'ADN ne les répare pas aussi rapidement qu'elles se détériorent. Cela cause une baisse de la capacité à brûler les calories.

La décomposition du glucose dans les muscles comprend deux étapes. Le glucose réagit d'abord pour donner de l'acide pyruvique. Ensuite, l'acide pyruvique se décompose entièrement en eau et en dioxyde de carbone, tel que le montre le diagramme de la page 73. Les enzymes qui participent à la première étape n'utilisent pas beaucoup d'oxygène. On nomme donc cette étape la phase anaérobique (*an* signifie « sans »). Les enzymes qui fonctionnent pendant la seconde étape ont besoin de beaucoup d'oxygène ; on appelle donc cette étape la phase aérobique.

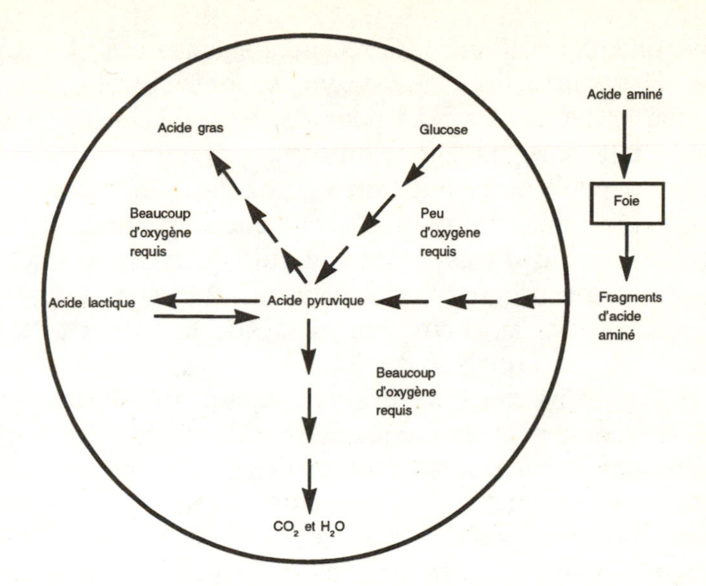

Nous avons défini l'exercice aérobique comme un exercice qui amène le cœur à une fréquence située entre 65 et 80 pour cent de sa fréquence maximale. À cette fréquence cible, le cœur et les poumons transfèrent assez d'oxygène aux muscles pour que le glucose soit décomposé en suivant les deux étapes et qu'il soit brûlé totalement. Si l'exercice entraîne le pouls au-delà de la fréquence cible, le cœur et les poumons ne peuvent plus fournir assez d'oxygène par rapport à la demande du corps. Dans ce cas, le glucose n'est transformé qu'en acide pyruvique ; il n'y a pas assez d'oxygène pour la seconde étape. Un exercice qui amène un rythme cardiaque excédant 80 pour cent du maximum est appelé un exercice anaérobique. Puisque l'acide pyruvique n'est pas brûlé par l'exercice anaérobique, il s'accumule dans les muscles où il forme de l'acide lactique. Un excès d'acide lactique est douloureux. Parfois, la douleur est si intense qu'elle empêche de poursuivre l'entraînement. Quand on s'arrête pour « reprendre son souffle », l'oxygène afflue dans les muscles privés d'oxygène. L'acide lactique est retransformé en grande partie en acide pyruvique pour être ensuite brûlé de façon aérobique. (On postule qu'une partie de l'acide lactique est transformée en acide gras.)

Un ensemble différent d'enzymes sert à brûler le gras. Le sang transporte les acides gras provenant de réserves dans les tissus adipeux ou d'un repas récent jusqu'aux cellules musculaires. Dans la cellule, les enzymes sont alignées, prêtes à décomposer les acides gras pour en retirer l'énergie. Chaque enzyme fait son travail selon une séquence que les biochimistes appellent la jonction neurochimique. Si on regarde le diagramme de la page 73, on voit que la première partie de la décomposition du gras (appelée suite d'oxydation bêta) est un phénomène unique aux acides gras. La seconde partie du processus utilise les même enzymes que la seconde étape de la décomposition du glucose.

Au contraire des enzymes participant à la décomposition du glucose, qui ne requièrent que peu d'oxygène, les enzymes responsables de la transformation des acides gras nécessitent beaucoup d'oxygène. C'est pourquoi l'exercice anaérobique empêche la décomposition et force les muscles à utiliser exclusivement le glucose. La fréquence cardiaque cible (65 à 80 pour cent du maximum) que je prône permet non seulement de brûler du gras en s'entraînant, mais stimule aussi la synthèse par l'ADN de ce genre d'enzymes en plus grande quantité. Plus ces enzymes prolifèrent, plus le transport de l'oxygène jusqu'aux cellules est efficace, et plus on devient apte à utiliser le gras tout en intensifiant son entraînement. Voilà pourquoi on peut courir plus vite tout en continuant de courir de manière aérobique et en brûlant les gras en plus grande quantité.

L'ENTRAÎNEMENT ANAÉROBIQUE
produit des enzymes brûlant les sucres.

L'ENTRAÎNEMENT AÉROBIQUE
produit des enzymes brûlant les graisses.

Il faut également noter dans le diagramme que les acides aminés sont brûlés dans les muscles par des enzymes oxydants. Cela signifie que les protéines peuvent être brûlées avec les graisses et les glucides. La décomposition des protéines s'opère chez des gens qui ont une diète très pauvre en calories. Le corps ne pouvant obtenir assez d'énergie des acides gras ou des glucoses doit alors brûler de précieuses protéines au lieu de s'en servir pour réparer des tissus.

L'haltérophilie est la discipline la plus anaérobique, tandis que la marche est peut-être l'exercice le plus aérobique. Un problème se pose quand on doit juger un exercice qui se situe quelque part entre les deux. Par exemple, si je sors faire du jogging ou de la course lente, quel type d'exercice est-ce que je fais ? Pour y répondre, je dois savoir si je cours à bout de souffle ou pas, si je peux continuer à courir pendant des kilomètres et des kilomètres, ou si je dois m'arrêter. On doit pouvoir marcher ou courir aussi vite que possible sans manquer de souffle, sans se sentir épuisé à la fin de la séance d'entraînement. Un exercice qui requiert ce genre d'effort assume le fonctionnement des enzymes qui brûlent le gras et garantit qu'elles ne seront pas défaillantes par manque d'oxygène.

Parfois, le test de la parole (décrit au chapitre 11) ne fonctionne pas. Si une personne déteste s'entraîner, elle abandonnera lorsqu'elle sera à bout de souffle « mentalement ». Cependant, dans la plupart des cas, le test de la parole ne fonctionne pas quand une personne refuse de ralentir. Elle n'admet pas qu'elle est à bout de souffle.

Ce dernier groupe d'irréductibles est constitué en grande partie d'hommes ayant des antécédents d'athlètes. Ce sont ceux qui dépassent leurs limites à leur propre détriment et qui mettent leur mariage en péril en exhortant leur femme à courir plus vite.

Je dois avouer que je fais moi-même partie de ce groupe et je vais vous raconter une anecdote embarrassante à ce sujet pour illustrer mon propos. Je suis diplômé du MIT. J'ai beaucoup joué au squash et j'y réussissais assez bien. Le squash, comme le racquetball ou le handball, est une suite de brèves poussées anaérobiques. Une heure de ce sport épuise la majorité des gens. Je me croyais donc en très bonne forme physique. Je jouais à l'occasion avec un ami dentiste qui se nommait Lou. Il préférait la course, mais il appréciait nos rencontres occasionnelles. Je le battais souvent, mais j'étais surpris qu'il joue si bien et aussi longtemps malgré le fait qu'il ne jouait que rarement. Un jour, Lou me persuada de faire une très longue course lente avec lui. Après presque un kilomètre, j'ai dû m'arrêter pour vomir. C'est comme si je n'avais pas le courage de faire ce genre d'exercice. Je sais maintenant ce qui s'est passé. L'entraînement aérobique de Lou l'avait préparé pour mon sport, tandis que mon entraînement anaérobique ne m'avait pas préparé au sien.

J'ai écrit ce chapitre surtout pour mettre en évidence l'importance des enzymes musculaires, spécialement les enzymes qui brûlent les graisses. Si on n'a pas ces enzymes, on est voué à engraisser. L'augmentation de ces enzymes ne se produit qu'en stimulant l'ADN par l'entraînement et par une diète assez riche en calories pour permettre aux acides aminés de prendre part à la biosynthèse.

15

Si deux aspirines sont bonnes, quatre doivent être meilleures

On remarque qu'il y a dans le tableau des fréquences cardiaques des pages 63 et 64 une colonne des fréquences à 85 pour cent. Les athlètes qui font de la compétition peuvent profiter d'un entraînement plus intense. Même si leur entraînement les limite généralement à leur fréquence cardiaque cible, ils poussent occasionnellement leur entraînement aux alentours de 85 à 95 pour cent du maximum. Il peut être néfaste de se retrouver dans cette colonne, si on n'y a pas sa place. Les hommes surtout sont portés à croire que si un entraînement modéré est bon, un entraînement intense est encore meilleur. Si on n'y est pas bien préparé, un exercice intense peut causer un stress trop grand pour le muscle et faire plus de tort que de bien. Quand on veut obtenir des résultats rapides, mieux vaut s'entraîner plus longtemps que d'intensifier l'entraînement.

Quand Hal est entré dans ma clinique après six mois d'absence, je suis resté bouche bée. Il avait l'air malade et plus vieux de cinq ans ! J'ai sûrement réussi à cacher ma consternation parce que Hal semblait transporté de joie. « En six mois seulement, j'ai perdu 20 livres en courant ! » m'a-t-il dit fièrement. Et c'était vrai : Hal était plus mince – mince à en être décharné ! Il y avait sûrement quelque chose qui clochait. Bien évidemment, lorsque nous avons testé sa quantité de gras corporel, il avait perdu du gras *et* de la masse musculaire.

Il avait perdu 9 kilos, dont trois et demi en muscles (voir le tableau de la page 78). Cela expliquait pourquoi il avait les yeux si creux et pourquoi sa peau semblait flasque. J'étais persuadé que Hal avait essayé une diète étrange. Pourtant, j'avais beau le questionner, il insistait pour dire que c'était seulement la course qui était la cause de sa perte de poids. Je me suis soudain rendu compte que Hal avait dû se *sur*entraîner. Nous savons déjà qu'une mauvaise diète peut entraîner une perte musculaire. Le même phénomène se produit si l'on s'entraîne trop.

C'est justement ce qui s'était passé. Hal voulait se mettre en forme très rapidement alors, chaque jour, pendant six mois, il avait couru à un rythme de 160 battements cardiaques à la minute. Cela aurait été un rythme raisonnable pour un homme de 20 ans, mais Hal en avait 50. Chaque jour, pendant six mois, il avait dépassé le rythme recommandé de près de 15 pour cent. Cela avait causé une surcharge de stress à ses muscles qui ne pouvaient récupérer.

Perte de masse maigre chez Hal causée par un entraînement excessif

	Avant	*Après*
Masse totale	77,25 kilos	68 kilos
MCM	58 kilos	54,5 kilos
Gras	19,3 kilos	13,6 kilos
% de gras	25%	20%

Hal s'était entraîné avec excès d'une autre façon. Il pratiquait trop souvent le même exercice. En vieillissant, il est bon de changer d'exercice chaque jour. (Par exemple, courir le lundi, le mercredi et le vendredi, et faire de la bicyclette le mardi, le jeudi et le samedi.) En vieillissant, le processus de réparation des muscles ralentit. En changeant d'exercice, on donne aux muscles sollicités le lundi le temps de se réparer pendant qu'on en sollicite d'autres. Le mercredi, les muscles qui avaient été sollicités le lundi ont non seulement récupéré, mais ils sont plus forts que jamais !

Le pauvre Hal avait donc doublement mis ses muscles en danger. Il leur donnait une surcharge de travail lors de ses séances d'entraînement et il ne leur laissait pas le temps de s'en remettre. Le résultat était que Hal avait 3 kilos et demi de gras corporel de moins que lorsqu'il avait commencé son programme.

NOTE : SI ON CHERCHE À SE METTRE EN FORME RAPIDEMENT, IL VAUT MIEUX *S'ENTRAÎNER PLUS LONGTEMPS QUE VIOLEMMENT.*

Nous avons changé le programme de Hal. Il court maintenant 6 kilomètres et demi deux fois par semaine à une vitesse beaucoup plus lente, pour que son cœur n'excède pas 140 battements à la minute. Il fait aussi 30 minutes de bicyclette stationnaire deux fois par semaine, toujours pour que sa fréquence cardiaque reste à 140. Quand nous avons revu Hal six mois plus tard, il pesait toujours 150 livres, mais il avait l'air plus robuste. Sa masse musculaire croissait lentement. Il n'a toujours pas la même masse musculaire qu'au départ, mais avec la masse de gras qui décroît de façon stable et la masse musculaire qui croît avec la même stabilité, je sais qu'il réussira.

Progrès de la masse corporelle de Hal

	Avant	*Après un entraînement incorrect*	*Après un entraînement corrigé*
Masse totale	77,25 kilos	68 kilos	68 kilos
MCM	58 kilos	54,5 kilos	56,2 kilos
Gras	19,3 kilos	13,6 kilos	12 kilos
% de gras	25 %	20 %	17,5 %

16

La course par intermittence

J'espère avoir convaincu tout le monde qu'il est important de contrôler son entraînement et qu'un entraînement aérobique lent est souvent meilleur qu'un entraînement anaérobique violent. Cependant, je ne veux pas que ce livre vous laisse l'impression que je vous dis : « Ne soyez jamais à bout de souffle. Ne vous entraînez jamais de façon anaérobique. » Ce ne serait pas vrai.

Ceux qui s'entraînent ont toujours l'ambition d'améliorer leur forme. Pour améliorer ses capacités aérobiques, il est efficace parfois de s'entraîner jusqu'au bout de son souffle, d'aller délibérément à l'encontre de toutes les recommandations que j'ai faites précédemment. Je fais ici référence à l'échappée, aussi appelée course par intermittence.

Une course par intermittence consiste en une course très rapide sur une très courte période pendant une séance d'entraînement aérobique ordinaire. Supposons que votre exercice aérobique préféré soit le jogging. Vous courez confortablement sur une route de campagne, comme il vous est arrivé de le faire plusieurs fois. Vous savez comment courir sans haleter. En plein milieu de votre course, faites un sprint. Courez vite sur une très courte distance, par exemple le quart de la longueur d'un terrain de football, assez longtemps pour perdre haleine. Parfois, j'utilise la distance entre les poteaux de téléphone comme point de repère. Quand vous ralentissez, essayez de retrouver votre rythme de départ. Cette vitesse n'est plus confortable parce que vous manquez d'oxygène après ce court sprint anaérobique. Cependant, si vous continuez au même rythme, après avoir parcouru la distance séparant quatre ou cinq poteaux de téléphone, c'est-à-dire une centaine de mètres, vous apaiserez votre manque d'oxygène et votre respiration redeviendra confortable. Alors, faites un autre sprint !

L'échappée est *la* méthode la plus efficace pour accroître sa forme physique. Beaucoup d'athlètes croient que le sprint lui-même augmente la forme physique. En fait, c'est la période *qui le suit* qui a un effet bénéfique sur la forme physique, celle durant laquelle l'organisme est forcé de récupérer pendant la course.

Nous n'encourageons pas l'échappée pour les personnes qui sont très grasses et qui ne se sont pas entraînées depuis longtemps, car elles tendent à en abuser. Elles ressentent des douleurs parce qu'elles ne sont pas familières avec cette routine. Elles courent trop vite durant le sprint et ont tendance à trop ralentir durant la période de « repos ». On devrait attendre de pouvoir s'entraîner confortablement au moins 30 minutes avant d'inclure la course par intermittence dans son programme.

Par ailleurs, je crois que mes lecteurs devraient oublier que plusieurs d'entre eux sont relativement en forme ; peut-être n'ont-ils que 4,5 ou 6,5 kilos à perdre. Ils s'entraînaient déjà et il est possible qu'ils soient déjà familiers avec l'échappée. Même ceux-là devraient être prévenus de la véritable utilité de la course par intermittence. Il faut se rappeler que le sprint lui-même n'amène pas en soi de changement. C'est la période de récupération qui lui succède, quand on maintient un rythme aérobique même si on est à bout de souffle, qui produit l'amélioration. C'est pour cette raison que la distance et la vitesse de l'échappée ne sont pas importantes. On n'a *pas* à courir à toute allure ni à courir une grande distance. Ce qui importe, c'est de courir juste assez vite et juste assez longtemps pour perdre haleine.

Nous constatons que l'échappée fonctionne pour beaucoup de gens, même pour des personnes très grasses et en très mauvaise condition physique. Cependant, je vous *recommande* de ne pas essayer cette méthode sans connaître votre niveau aérobique. Après plusieurs mois d'entraînement aérobique modéré, votre forme atteindra un plateau que l'échappée peut vous aider à dépasser. Il est déraisonnable d'employer la course par intermittence si l'on n'a pas développé un niveau aérobique de longue haleine. Si l'on ne s'est pas entraîné assez longtemps pour connaître son rythme de fond, il est insensé d'appliquer cette méthode.

cible se situe entre 109 et 134 battements à la minute. J'ai failli faire une crise cardiaque parce que je m'inquiétais de savoir si *elle* n'allait pas en faire une. Après quelques minutes de repos, je lui ai demandé de recommencer l'exercice, mais cette fois en lui recommandant de ne pas lever les pieds à plus de 10 cm. Cette fois, son pouls était de 152 battements à la minute et elle haletait encore bien trop fort. Finalement, je lui ai demandé de courir sur place en levant seulement les talons et en gardant les orteils au sol. Cet exercice était suffisant pour la garder dans l'intervalle de sa fréquence cardiaque cible et lui permettre de respirer profondément mais confortablement. Pour la majorité d'entre nous, cela semble ridicule, mais Gina était si peu en forme que le simple fait de bouger les genoux constituait pour elle un exercice aérobique.

Beaucoup de gens se plaignent : ils trouvent lassant de faire la même activité physique jour après jour. Je ne les blâme pas ! Ce que j'encourage, c'est la pratique d'une forme d'exercice aérobique chaque jour, *quelle qu'elle soit*. Pendant les mois d'été, je cours les lundis, mercredis et vendredis, tandis que les mardis et jeudis, je m'adonne à la natation. Je consacre mes fins de semaine aux longues randonnées à bicyclette ou aux excursions en canoë. Durant l'hiver, selon la température, je fais du jogging ou du saut à la corde pendant la semaine et du ski de fond la fin de semaine. Tous ces exercices ont pour résultat une mise en forme globale et systématique du système cardiovasculaire et une perte de gras. De plus, la rotation des exercices prévient le surentraînement de groupes musculaires au détriment d'autres groupes.

Le corps d'un coureur de fond, par exemple, s'adapte à la constance de son sport. Le haut de son corps a tendance à s'amaigrir considérablement. En se débarrassant de leurs graisses, les muscles des bras, des épaules et de la poitrine ont aussi tendance à rapetisser un peu. Cela ne veut pas dire que ces muscles sont en mauvaise condition. Les études de biopsie musculaire sur ces tissus nous montrent qu'ils ont une concentration extrêmement grande d'enzymes, ce qui est l'indice d'une grande forme aérobique (voir à ce sujet le chapitre 14). Bon nombre de coureurs disent que le sacrifice de la masse dans la partie supérieure du corps vaut les récompenses, tant mentales que physiques, de leur discipline. Si vous préférez un corps plus proportionné, une rotation des exercices vous donnera une musculature plus « équilibrée ».

Qu'en est-il des périodes de réchauffement et de refroidissement ? En général, ces deux étapes devraient être des « répétitions générales » de l'entraînement. Si on décide de faire du jogging, le meilleur réchauffement est une course très lente. Le meilleur refroidissement est une marche rapide. Ce principe vaut pour toute forme d'exercice : on n'a qu'à exécuter une version au ralenti de l'exercice pour s'échauffer ou se refroidir. Des périodes de cinq minutes de réchauffement et de refroidissement sont suffisantes pour quelqu'un qui compte s'entraîner modérément de 15 à 45 minutes. Les gens qui s'entraînent très intensément ou pour une longue période devraient se réchauffer et se refroidir plus longtemps. Un muscle réchauffé est moins susceptible de se déchirer (foulure), et des périodes de réchauffement et de refroidissement permettent une transition progressive entre deux rythmes.

Bien que je croie que le réchauffement soit nécessaire, la question de l'étirement me rend ambivalent. Un muscle bien étiré est plus performant qu'un muscle qui ne l'est pas, mais un muscle *mal* étiré est plus enclin aux blessures qu'un muscle qui n'a jamais été étiré. Si l'on s'étire, on doit garder ces quelques règles en tête :

1. Ne pas étirer un muscle qui n'a pas été préalablement réchauffé. Se réchauffer d'abord, s'étirer ensuite.

2. S'étirer lentement, ne pas s'étirer par coups.

3. Ne jamais s'étirer au point d'être inconfortable. Un étirement devrait durer de 20 à 45 secondes. Voici une bonne règle qualitative : si on sent que l'on pourrait tenir un étirement indéfiniment, c'est que l'étirement n'est pas excessif.

Il est étonnant de constater la facilité avec laquelle on peut intégrer un exercice aérobique à son style de vie. La plupart des exercices deviennent plus qu'un simple exercice. Ils deviennent un sport. Une marche ou une course quotidienne prépare à une escalade de fin de semaine. Faire de la bicyclette tous les jours, que ce soit sur place ou non, prépare pour des excursions à la campagne. Il y a les excursions en canoë pour le rameur. Et l'adepte de jogging ne devrait pas se priver de la camaraderie de ses compagnons coureurs de la fin de semaine. Les disciplines anaérobiques sont plutôt individuelles. On imagine difficilement un haltérophile préparer un pique-nique et partir avec sa douce moitié pour lever des poids près d'un joli ruisseau. Le golf ? Le tennis ? Ce sont de grands sports, mais de piètres exercices. On conçoit aisément que 12 minutes de golf ou de tennis ne mettent pas en forme, c'est une simple question de bon sens !

Je vais maintenant proposer une variété d'exercices aérobiques ; on peut en choisir un ou deux qui nous conviennent, mais je recommande de ne pas suivre l'exemple de Gina. On devrait choisir une activité qui permet de ne pas dépasser sa fréquence cardiaque cible et garder les exercices plus ardus pour plus tard.

Maintenant, parlons exercices !

Notons que, pour chaque exercice, j'indique un potentiel d'efficacité à brûler les graisses et le risque de blessure qui s'y rattache. En général, mais pas dans tous les cas, des exercices qui sont plus efficaces pour brûler les graisses comportent aussi un risque plus élevé de blessures. Tout exercice qui implique des poids et haltères, l'utilisation d'un grand nombre de groupes musculaires, des sauts ou le blocage d'articulations, peut faire des victimes. La course, l'exercice le plus efficace pour brûler les graisses, a présentement mauvaise réputation à cause de la liste croissante des coureurs qui se blessent. Mais si on considère plus attentivement ces statistiques, on s'aperçoit que les victimes de ces blessures courent plus de 56 km par semaine.

Dans les années 70, les gens avaient des idées très arrêtées à propos de l'exercice. Ils s'entêtaient à répéter le même entraînement jour après jour, semaine après semaine, jusqu'à ce qu'ils se lassent et abandonnent, ou jusqu'à ce qu'ils se blessent et soient forcés d'arrêter. De nos jours, les gens sont plus sensés et tendent à diversifier leur routine avec les trois ou quatre exercices qu'ils préfèrent. Même les coureurs irréductibles découvrent que ce genre d'entraînement « croisé » améliore leur performance à la course. Si on aime particulièrement un exercice qui comporte un risque plus élevé de blessures, ce n'est pas grave. Il suffit de ne pas faire cet exercice avec excès. On peut voir dans la liste suivante qu'il est possible d'inclure dans sa routine des activités très efficaces pour brûler les graisses mais qui présentent un faible risque de blessures, sans pour autant sacrifier la qualité de l'entraînement.

La liste qui suit s'adresse surtout au débutant qui cherche l'exercice qui lui convient le mieux. C'est pourquoi j'ai ajouté une catégorie « Applications spéciales » pour chaque exercice afin de mettre en relief ceux qui comblent des besoins spéciaux.

EXERCICES AÉROBIQUES EXTÉRIEURS

Le jogging et la course

Potentiel d'efficacité à brûler les lipides à long terme : élevé.

Risque de blessures : modéré pour des distances de moins de 55 km par semaine ; très élevé pour des distances de plus de 56 km par semaine.

Applications spéciales : personnes jeunes très en forme ; personnes plus âgées si elles ont déjà une bonne forme physique à la suite d'un programme de marche.

De loin l'exercice aérobique le plus connu, le jogging ou la course est un des programmes d'entraînement les plus simples à adopter. Le seul équipement requis est une paire de bons souliers. En général, la plupart des lecteurs qui n'ont jamais suivi de programme de course seront classés comme adeptes du jogging. (La différence entre un adepte du jogging et un coureur est controversée, mais je considère que quelqu'un qui court un kilomètre en plus de cinq minutes est un adepte du jogging.)

Le risque de blessures relatif au jogging et à la course se situe surtout au niveau des muscles, des articulations et des ligaments de la partie inférieure du corps. Si l'on souffre de maux de genoux, de chevilles ou de bas de dos, on peut varier soit sa foulée, sa vitesse ou la mise à terre du pied (la mise à terre du talon est la plus efficace lorsqu'on court 1 kilomètre en plus de cinq minutes). Changer occasionnellement de style – sautiller ou courir de côté ou à reculons – peut aider à régler le problème. On peut aussi essayer de courir sur des surfaces moins dures comme un sentier de copeaux de bois, un tapis de matériaux composites, ou de l'asphalte caoutchouté. NE PAS continuer si la douleur ne disparaît pas après un jour ou deux. On devrait changer d'activité physique et consulter un médecin pour ces douleurs.

La marche

Potentiel d'efficacité à brûler les lipides à long terme: modérément bas si le temps de marche est de 30 minutes ou moins, ou si la marche n'est pas plus rapide que 6 km à l'heure; modéré si la durée excède 30 minutes ou si la marche est plus rapide que 6 km à l'heure; élevé pour la marche de compétition.

Risque de blessures: faible.

Applications spéciales: débutants, personnes très grasses, personnes de plus de 50 ans, femmes enceintes, athlètes qui récupèrent après une blessure ou une maladie.

La marche est le programme le PLUS facile à entreprendre. Cet exercice ne requiert pas d'habileté particulière – nous savons tous déjà marcher – et c'est une activité toujours à notre portée: il suffit d'être prêt. On n'a pas à s'inquiéter de ramasser tout un attirail d'entraînement, ou de sortir son équipement, ou encore de se rendre au gymnase. Tout ce que l'on a à faire, c'est de sortir de chez soi. Si la température est mauvaise, on peut toujours faire de la marche dans un centre commercial. C'est devenu une activité matinale très populaire dans plusieurs villes.

La marche doit être vigoureuse pour constituer un bon exercice aérobique qui brûle efficacement les graisses. On devrait essayer de maintenir un rythme de 100 pas à la minute et d'un kilomètre en moins de 12 minutes et demie. Quanrante-cinq minutes de marche équivalent à 20 minutes de jogging.

Parfois, une personne obèse ou une personne âgée est embarrassée de courir, mais elle trouve que la marche ne lui permet pas d'atteindre sa fréquence cardiaque cible. J'ai résolu ce problème pour Jane, une de mes tantes préférées. Je lui ai conseillé de transporter un sac à dos rempli de sable pendant sa marche. Après quelques essais, nous avons trouvé le poids qu'elle devait transporter pour obtenir le bon rythme cardiaque. Maintenant, ma tante Jane salue ses voisins lorsqu'elle fait une de ses randonnées en disant : « Le sac à dos ? Je reviens d'Europe, ma chère. Tout le monde en porte là-bas. C'est très à la mode, vous savez ! »

La marche de compétition, appelée aussi marche de fond, gagne rapidement en popularité et, personnellement, j'encourage cette activité. Grâce au vigoureux mouvement des bras et à cette étrange façon de balancer les hanches qui donne au coureur l'allure d'un canard frénétique, on dépense beaucoup d'énergie. Plusieurs marcheurs de fond dépassent les adeptes du jogging. Oublions l'hilarité que cause ce sport : je crois que la marche de fond est en voie de devenir le choix de l'avenir. Elle offre un meilleur entraînement que la course et génère deux fois moins d'impact sur les articulations.

La bicyclette

Potentiel d'efficacité à brûler les lipides à long terme : modéré.
Risque de blessures : faible en soi, élevé si on tient compte des collisions et des accidents.
Applications spéciales : une bonne activité en groupe ou en famille ; parfois à recommander aux personnes souffrant de maux de dos (consulter un médecin), pour les gens obèses et les gens âgés.

Faire de la bicyclette est une de ces activités dont on devient amoureux ! Un entraînement à bicyclette doit durer 40 minutes pour équivaloir à 20 minutes de jogging, car il sollicite moins de muscles que la course et n'implique pas de soulever une charge. En général, cela ne semble déranger personne. Le cyclisme est plus un passe-temps agréable qu'un exercice fastidieux. Du reste, quand on compare les cyclistes et les coureurs d'élite, les cyclistes, en tant que groupe, donnent l'impression d'être plus en forme. C'est que les cyclistes sont moins susceptibles de se blesser que les coureurs, ce qui leur permet de passer plus de temps à l'entraînement. Proportionnellement, les coureurs consacrent moins de temps à l'entraînement et plus au rétablissement.

Le cyclisme a pourtant ses inconvénients. Une bonne bicyclette peut être coûteuse. Il n'est pas facile de trouver un trajet sans obstacles qui permette de maintenir un rythme régulier. Tenir sur une bicyclette requiert de l'équilibre si l'on est débutant. Il est ardu d'apprendre à changer d'engrenage dans le but de descendre et de monter aisément les côtes. On devrait essayer de maintenir une allure de 70 rotations à la minute au lieu de faire des accès de poussée et des descentes en roue libre.

La bicyclette de montagne devient rapidement un sport populaire pour ceux qui en ont plus qu'assez du cyclisme traditionnel. Cette activité combine les plaisirs rustiques des sous-bois et un entraînement énergique en évitant le danger des automobilistes parfois inattentifs.

La natation

Potentiel d'efficacité à brûler les lipides à long terme : faible.
Risque de blessures : très faible.
Applications spéciales : personnes atteintes d'arthrite ou d'autres problèmes d'articulation, femmes enceintes, personnes se rétablissant d'une blessure, personnes âgées.

La natation est le sport le moins susceptible de causer des blessures. C'est une excellente activité cardiovasculaire et elle est efficace pour tonifier presque tous les muscles du corps. Cependant, je ne la recommande pas aux personnes qui ont des kilos en trop. Sur les milliers de gens dont j'ai testé le taux d'adiposité, j'ai remarqué que les nageurs gardent plus de gras que les coureurs ou les cyclistes.

Les mammifères qui passent beaucoup de temps dans l'eau ont tendance à conserver leurs graisses. Prenons, par exemple, les baleines et les phoques. Ce sont des animaux très en forme et très gras. Les mammifères humains qui s'entraînent fréquemment dans l'eau sont comme les phoques. Ils ont besoin de graisse pour maintenir la température de leur corps et pour permettre la flottabilité. La graisse chez les nageurs ne se retrouve pas dans les muscles, elle est sous-cutanée. Leurs muscles sont probablement aussi maigres et en forme que ceux d'un coureur; seulement leur corps doit s'adapter à la basse température de leur environnement liquide en gardant une certaine quantité de lipides sous la peau.

Alors, on peut se mettre en grande forme en nageant, mais on ne perd pas beaucoup de graisse. On doit retenir que je ne dis pas que la natation rend plus gras. Quand je parle ainsi de la natation, les nageurs sont mécontents. Ils croient que je dénigre leur sport, quand tout ce que je fais c'est de souligner une adaptation naturelle de l'organisme. La natation ne diminue pas la quantité de graisse corporelle, mais elle *ne l'augmente pas* non plus. Si on a 35 pour cent de graisse au départ, on perd moins de graisse en nageant qu'en pratiquant des sports terrestres. On ne devient pas plus gras. Si on est maigre et en bonne condition physique, on reste maigre et en bonne condition physique en nageant. Cependant, la quantité de graisse corporelle ne baisse pas.

Malgré cet inconvénient, je crois que la natation est un bon début pour les gens obèses peu familiers avec l'exercice. Ils peuvent apprendre à bien se coordonner et à atteindre une bonne forme physique sans se sentir maladroits et en évitant de blesser leurs articulations déjà surchargées.

Il faut beaucoup de pratique pour maîtriser suffisamment la natation dans le but d'en faire une discipline d'entraînement, et il est parfois difficile de trouver un couloir libre dans une piscine pour y faire des longueurs. Les novices devraient considérer les cours d'aérobique aquatique comme une alternative. C'est beaucoup plus amusant que de faire des longueurs. S'exercer contre la résistance de l'eau renforce les muscles sans choquer ni coincer les articulations. La résistance de l'eau amortit rapidement les mouvements susceptibles de causer des blessures. Puisque la majorité des séances ont lieu dans la partie peu profonde de la piscine, même ceux qui ne savent pas nager peuvent y participer. L'aqua-aérobique est relativement nouvelle et chaque instructeur a ses méthodes. C'est pourquoi il n'existe pas de données sur son efficacité à mettre en forme et à diminuer les graisses corporelles. Cependant, c'est amusant, et je crois que c'est un bon exercice pour les gens âgés, pour les femmes enceintes, pour ceux qui souffrent d'embonpoint et pour les arthritiques.

Le ski de fond

Potentiel d'efficacité à brûler les lipides à long terme : très élevé.
Risque de blessures : faible.
Applications spéciales : personnes déjà en forme.

Le roi des exercices aérobiques ! Le ski de fond est le moyen le plus rapide d'éliminer les lipides : il est plus énergique que la course ; pourtant, le risque de blessures qui s'y rattache est faible, car ses mouvements sont coulants au lieu d'être saccadés. Les coûts de départ sont peu élevés (si on les compare aux coûts du ski alpin). On peut aussi louer un équipement si on désire seulement faire un essai. Je recommande le ski de fond à ceux qui sont déjà en assez bonne forme physique. C'est un exercice trompeur en ce sens qu'il requiert de l'adresse et de l'équilibre ainsi qu'une bonne coordination des bras et des jambes. Fait étonnant, c'est une discipline fatigante, même si on adopte un rythme plus lent qu'à la course.

Le ski de fond n'est plus un sport saisonnier désormais. Il existe sur le marché toute une gamme de machines qui simulent ce mouvement coordonné des bras et des jambes. Il existe aussi des patins spéciaux qui permettent de rester en forme durant l'été. On n'a qu'à mettre des bouchons de caoutchouc au bout de ses bâtons de ski et nous voilà lancés sur notre sentier de jogging préféré.

EXERCICES AÉROBIQUES INTÉRIEURS

On devrait choisir au moins un exercice à pratiquer à l'intérieur quand la température est mauvaise, quand on n'a pas le temps de s'entraîner, ou quand de jeunes enfants nous empêchent de sortir. J'aime utiliser des appareils d'entraînement intérieur comme substitut aux activités extérieures. Les manufacturiers prétendent que leurs produits sont aussi efficaces que l'exercice réel, mais il y a des choses qu'on n'apprend pas sur un appareil comme l'équilibre et la coordination. Un appareil est parfait pour se mettre en forme, mais il y a les faux pas et les chutes occasionnelles qui séparent les athlètes et les vrais sportifs des utilisateurs d'appareils.

Plusieurs des exercices qui suivent requièrent l'achat d'équipement. En général, plus l'appareil est lourd et coûteux, meilleur il est. Un appareil moins cher finit comme étagère à pots de fleurs après six mois. Il est recommandé de faire l'essai de l'appareil avant d'en faire l'achat. On ne devrait pas acheter d'équipement par la poste sans avoir essayé au préalable chez un ami un appareil de la même marque. Les appareils sont composés de centaines de pièces à assembler et, si on ne l'aime pas, c'est toute une histoire que de le renvoyer à la compagnie.

La bicyclette stationnaire

Potentiel d'efficacité à brûler les lipides à long terme: modéré.
Risque de blessures: faible.
Applications spéciales: personnes âgées, personnes souffrant de problèmes d'articulation, obèses, femmes enceintes et ceux qui commencent un programme d'exercices.

La bicyclette stationnaire est un bon exercice qui ne présente aucun danger. Sa pratique ne requiert ni l'équilibre ni la coordination du cyclisme extérieur. C'est efficace pour maintenir une bonne forme physique lors du rétablissement d'une blessure à la cheville, au genou ou à la hanche. Cependant, comme plusieurs s'en plaignent, c'est un exercice ennuyeux! En fait, j'aime la bicyclette stationnaire, car elle me permet de faire deux choses à la fois. On peut lire ou écouter les nouvelles du soir en s'entraînant. Il existe des documents vidéo pour ceux qui préfèrent regarder des scènes de route campagnarde durant leur randonnée à l'intérieur. On peut aussi y combiner la bicyclette stationnaire et la musculation. C'est aussi une merveilleuse façon de s'entraîner pendant qu'on fait sécher son vernis à ongles.

Le canotage

Potentiel d'efficacité à brûler les lipides à long terme : élevé.
Risque de blessures : faible.
Applications spéciales : personnes désirant développer la partie supérieure du corps en se mettant en forme, personnes ayant été victimes de blessures aux jambes.

Qu'on le pratique à l'intérieur ou à l'extérieur, le canotage est un exercice qui consomme beaucoup de graisse. Tout comme le ski de fond, il sollicite la plupart des groupes musculaires importants sans malmener les articulations. De plus, il développe rapidement les muscles du haut du torse. C'est un des rares exercices qu'on peut pratiquer avec une seule jambe lorsque l'autre est blessée.

Le marchepied d'aérobique et l'ascension d'un escalier

Potentiel d'efficacité à brûler les lipides à long terme : élevé.
Risque de blessures : modérément faible.
Applications spéciales : les débutants, les gens souffrant d'embonpoint et les femmes enceintes.

Il y a fort longtemps, lorsque les tests de condition physique n'en étaient qu'à leurs premiers balbutiements, le test du marchepied était utilisé comme méthode standard pour évaluer la forme physique. C'était simple. On posait le pied droit sur un tabouret de 20 cm de haut, puis le pied gauche, ensuite on déposait le pied droit au sol, puis le pied gauche. Si on pratiquait cet exercice 15 minutes, on avait fait un exercice aérobique quotidien capable d'améliorer la condition cardiovasculaire et de brûler la graisse. Ce simple exercice a déjà rapporté des millions de dollars aux manufacturiers de marchepieds.

La popularité de ces appareils est incroyable. On doit faire une réservation des jours à l'avance pour en utiliser un. Bien qu'ils ne mettent pas plus en forme que le fait de monter de vraies marches, ils offrent quelque chose de plus, comme une pente qui monte continuellement, et ils libèrent de l'inquiétude de s'entraîner dans un escalier désert et potentiellement dangereux.

Les classes de « step » sont aussi de plus en plus populaires. Chaque participant dispose d'un banc d'environ 50 cm de large et de 1 m de long. Sa hauteur varie entre 10 et 30 cm. L'entraînement consiste en une série de combinaisons de pas. La cadence est plus lente que celle d'un cours de danse aérobique ordinaire et les routines simples sont attrayantes pour les gens frustrés par les pas compliqués de la danse aérobique. Tout en étant un exercice qui paraît modéré et qui implique peu d'impact, c'est très performant pour éliminer les graisses. C'est tout aussi énergique que le jogging, mais l'effort exigé des genoux n'est pas plus élevé que celui requis par la marche.

Le saut à la corde

Potentiel d'efficacité à brûler les lipides à long terme : élevé.
Risque de blessures : modérément élevé.
Applications spéciales : exercice d'appoint pour les personnes déjà en bonne condition.

Je crois que l'on devrait tous avoir une corde à danser « juste au cas où ». Si on est un adepte du jogging, c'est un bon substitut à la course lorsqu'on est en voyage et qu'on préfère ne pas courir dans un environnement qui nous est étranger. On peut garder une corde au travail et l'utiliser au lieu de prendre sa pause café de 15 minutes. J'ai même sauté à la corde à bord d'un avion pendant un long voyage outremer !

Le saut à la corde est un bon exercice de « rechange » pour les jours de pluie ou pour les jours où on a peu de temps, ou encore lorsqu'on préfère rester à l'intérieur. Cependant, c'est un exercice un peu trop dur pour les articulations pour qu'on le pratique tous les jours.

Le tapis roulant

Potentiel d'efficacité à brûler les lipides à long terme : modéré à élevé, selon l'inclinaison du tapis.
Risque de blessures : faible.
Applications spéciales : pour tous, on ajuste la vitesse et l'inclinaison du tapis selon le niveau de sa forme physique.

Le tapis roulant est un bon appareil qui se retrouve dans la plupart des centres de conditionnement physique. Cet appareil motorisé au design simple consiste en une planche inclinée sur roulettes, avec des rampes sur les côtés qui permettent de garder l'équilibre. En changeant l'inclinaison ou la vitesse, on peut faire de la marche de fond, de la course ou même de l'escalade. Plusieurs personnes constatent que le tapis roulant leur évite les douleurs aux genoux et au dos associées au jogging.

Le meilleur rythme sur le tapis roulant, c'est une marche rapide ou une course lente. Malheureusement, l'instinct macho émerge. J'ai vu beaucoup d'hommes obèses et en mauvaise condition physique courir à une allure que même un coureur professionnel aurait du mal à maintenir. Il faut employer cet appareil avec bon sens. Il vaut mieux faire 15 minutes ininterrompues à un rythme raisonnable qu'un réchauffement anaérobique de trois minutes à un rythme d'enfer pour le cœur.

La mini-trampoline

Potentiel d'efficacité à brûler les lipides à long terme : modérément faible.
Risque de blessures : faible, si on ne tombe pas de la trampoline.
Applications spéciales : débutants, personnes souffrant de problèmes aux articulations, personnes âgées.

Une mini-trampoline est un bon appareil d'entraînement intérieur pour ceux qui commencent un programme d'exercices. Si on est déjà assez en forme, cela risque de ne pas constituer un exercice très efficace. On peut changer la régularité des sauts en courant sur place sur la mini-trampoline ou en sautant à la corde ou encore en dansant au son de la musique.

J'ai eu l'occasion de donner une conférence pour une entreprise qui avait placé plusieurs mini-trampolines à l'arrière de la salle. Quand quelqu'un dans l'assistance voulait faire la pause, au lieu de sortir pour fumer, il se levait et se dirigeait vers l'un de ces appareils. Je voyais des têtes monter et descendre pendant ma conférence; je croyais que cela distrairait l'auditoire, mais personne ne s'est plaint. Lorsque quelqu'un descendait de la trampoline, quelqu'un d'autre le remplaçait silencieusement. Cela a continué pendant toute la journée et c'est probablement l'une des choses les plus saines que j'ai vues.

La danse aérobique

Potentiel d'efficacité à brûler les lipides à long terme: élevé.
Risque de blessures: élevé pour les cours à grand impact, faible pour les cours à faible impact.
Applications spéciales: femmes *et* hommes modérément en forme.

La danse aérobique sollicite autant les muscles supérieurs que les muscles inférieurs du corps, c'est pourquoi elle consomme autant de graisse que la course. Les cours comportent une grande variété de pas, ce qui réduit le risque de traumatisme causé par un mouvement répétitif. Puisque c'est amusant, cela devient plus facilement une habitude et les risques d'abandon sont moins élevés.

Même si les instructeurs prennent la précaution de changer les routines pour prévenir à la fois l'ennui et les blessures, les sauts et les balancements vigoureux de la danse aérobique causent des foulures aux chevilles, des douleurs aux genoux et des maux de dos. C'est pourquoi la tendance actuelle s'oriente vers des routines à «faible impact». Dans ces routines, un des deux pieds reste toujours au sol. Il y a moins de sautillements et de mouvements brusques.

Faire courir son chien tenu en laisse tout en conduisant sa voiture est un exercice formidable... pour le chien.

Pour avoir un entraînement équivalent à celui de la danse à grand impact, les participants font plus d'exercices avec la partie supérieure du corps et tiennent parfois des poids légers dans les mains. Les mouvements accentués des jambes tels que le lever des genoux très haut, les bottés et les déplacements multidirectionnels d'avant en arrière et d'arrière en avant permettent une bonne dépense d'énergie. Même les cours à impact élevé ont été modifiés pour ceux qui préfèrent encore sauter et dont le corps est assez fort pour le faire. On accorde plus d'importance au fait de plier les genoux pour réduire le stress et d'atterrir sur la pointe des pieds pour ensuite déposer le talon.

Dans plusieurs cours d'aérobique, on offre des périodes au sol pour développer les muscles, ainsi que des périodes d'étirement et de relaxation.

Tenir des poids dans les mains améliore-t-il la condition physique ?

Est-ce que le fait de tenir des poids à la main pendant la marche, la course ou une séance de danse aérobique améliore la forme physique ? Les manufacturiers de poids légers affirment qu'on brûle 50 pour cent plus de calories en les utilisant. Cette déclaration a intrigué les physiologistes qui ont promptement soumis ces poids à des tests de laboratoire. Ils ont trouvé que l'utilisation des poids augmente la dépense énergétique d'au plus 6 ou 7 pour cent, ce qui peut être atteint en augmentant la séance d'entraînement d'une ou deux minutes. La seule façon d'améliorer la dépense énergétique est de *lever* les poids au-dessus de la tête. On peut le faire en faisant de la danse aérobique, mais il faut être audacieux pour le faire sur un sentier de jogging sans avoir l'air légèrement débile.

Cependant, ce n'est pas le nombre de calories que l'on brûle qui conditionne la forme. Les poids contribuent-ils d'une autre façon à améliorer la forme physique ? Oui et non. Les chercheurs ont découvert que le fait de tenir des poids nuit aux mouvements naturels du corps, ce qui augmente probablement le risque de blessures (si on balance les bras trop brusquement, on peut se décapsuler l'épaule). En outre, les poids accentuent le problème de la haute pression chez les gens qui en sont atteints. Les physiologistes concluent qu'il n'est pas nécessaire de prendre des risques avec les poids puisqu'on peut retirer les mêmes bénéfices d'une séance d'entraînement plus longue.

Mais si on ne fait pas d'hypertension et si on est assez sensé pour utiliser les poids avec précaution, sans les balancer de tous les côtés, peut-on tirer avantage de leur utilisation ? Probablement. Quand on utilise les poids INTELLIGEMMENT, ils ont tendance à ralentir le mouvement. Voilà pourquoi on n'a pas constaté de grandes variations dans la dépense énergétique en laboratoire. Puisqu'on ralentit ses mouvements avec des poids, le rythme cardiaque ne change presque pas. Cependant, l'exercice sollicite une plus grande partie de la musculature. C'est comme si le cœur se disait : « Comme l'exercice a ralenti, je vais pomper la même quantité de sang, mais vers un plus grand nombre de muscles. » L'avantage, c'est qu'on sollicite plus de muscles et que les mouvements plus lents diminuent le risque de blessures dans la partie inférieure du corps.

Les débuts

• Garder les règles suivantes en tête.

1. Un entraînement aérobique doit impliquer les jambes et le fessier parce que, pour obtenir une réaction systémique complète du corps, on doit faire appel aux plus gros muscles.
2. L'entraînement doit être ininterrompu pour être véritablement aérobique. On ne doit pas s'arrêter à tout bout de champ dans la rue pour faire la conversation.
3. On ne doit pas s'entraîner jusqu'à perdre haleine.

Si on ne suit pas ces trois règles, l'exercice n'est pas aérobique.

• Si on ne peut le faire correctement, on doit le faire souvent.

Qu'est-ce que signifie cette phrase étrange ? Les gens sont parfois trop à cheval sur les principes. Ils ne semblent pas se rendre compte que faire beaucoup d'exercice « pas tout à fait » aérobique peut être aussi bénéfique que faire de l'exercice aérobique modéré. Même si on ne respecte pas l'une des trois règles, l'entraînement peut être bénéfique sur le plan aérobique, s'il est fréquent. Par exemple, si l'on ne se fie qu'aux trois règles, le tennis n'est pas aérobique parce qu'il ne respecte pas la règle de la continuité. Cependant, si on joue au tennis une heure ou deux, on peut accroître significativement sa forme physique.

Le corps change comme si l'on avait fait une séance de jogging ininterrompue.

Rappelez-vous ceci : si on ne peut suivre exactement les règles que j'ai établies, il suffit de s'entraîner beaucoup. La quantité peut pallier la qualité. Voilà pourquoi le sport met parfois les gens plus en forme qu'un entraînement dans un club.

• Ne pas s'exercer avec un ami en forme.

On comprend facilement la portée de cet argument. Si on est très gras et en mauvaise condition physique, il est physiquement trop difficile de courir ou de rouler à bicyclette au même rythme que son ami « athlète ». Évidemment, on peut s'entraîner avec un ami assez intelligent pour ne pas faire de pression ou de railleries. Il faut être prudent. Parfois, les amis en forme nous incitent à aller trop vite, à s'entraîner trop souvent ou à trop forcer parce que c'est facile pour eux. On se blesse tandis qu'eux pensent que l'exercice était anodin.

• Commencer tellement lentement que les gens riront de vous.

J'emploie à dessein cette formule curieuse pour attirer l'attention. Au cours des 10 ou 15 dernières années, nous avons appris les bienfaits qu'apportait un rythme d'entraînement plus lent que ce qui était recommandé auparavant. On n'insistera jamais assez : un entraînement modéré est rentable. Si on s'entraîne lentement, à un rythme qui permet d'atteindre à peu près 65 pour cent de sa fréquence cardiaque maximale, le corps s'y adapte et en profite. On se contente peut-être de marcher et cela peut sembler peu de choses, mais la nuit, quand on dort, l'organisme se dit : « Elle ne s'entraîne pas très fort, mais elle le fait longtemps. Je dois m'adapter à cela. »

• S'exercer aussi souvent que possible.

Plusieurs auteurs prétendent qu'il faut s'entraîner une demi-heure trois fois par semaine. Dans ce livre-ci, je dis au débutant de s'entraîner six fois par semaine à raison de 12 minutes chaque fois. Mais ce ne sont que des règles encombrantes. En fin de compte, la seule règle qu'on devrait suivre serait de s'entraîner le plus souvent possible. Nous aimons voir les gens faire beaucoup d'exercice.

Par exemple, si j'étais très gras et en très mauvaise forme physique, je m'entraînerais probablement cinq fois par jour. Quand on a 25 kilos à perdre, on devrait trouver le temps de s'entraîner matin, midi et soir. On peut s'acheter une mini-trampoline et sauter le matin en se réveillant pour se réchauffer. On ne devrait pas s'inquiéter de la durée, de la hauteur, de la difficulté, de ci ou de ça. On saute en s'amusant environ 12 minutes sans trop y penser. Si on en revient aux trois règles que j'ai établies précédemment, on constate que cet exercice fait travailler les plus gros muscles et qu'on ne s'y essouffle pas.

Si on travaille, on peut envisager d'installer une bicyclette stationnaire sur son lieu de travail pour pouvoir l'utiliser pendant les pauses. On peut l'utiliser une, deux et trois fois, même s'il faut manger en « roulant ». On peut également marcher pendant la pause du midi. Prenez la décision de ne plus vous asseoir pour manger les trois prochains mois. Peut-être vous rappellerez-vous alors l'éternelle harangue : on ne doit pas manger debout. Ce principe est vrai si on fait de l'exercice de compétition, mais ce n'est pas manger un sandwich en marchant qui aura un effet désastreux sur votre estomac ou sur vos muscles. En effet, peut-être allez-vous manger moins vite et moins, ce qui, en fin de compte, est meilleur de toute façon.

L'après-midi, on peut refaire de la bicyclette et, le soir, reprendre une marche. Essayez de faire quatre ou cinq courtes séances d'entraînement durant la journée. Je suis émerveillé par le nombre de règles qui dictent la fréquence des séances d'entraînement. Rappelez-vous : plus on est gras, plus on doit s'entraîner souvent.

Quand on veut vraiment savoir quoi faire, il suffit de regarder un garçon de 12 ans et de faire ce qu'il fait. S'il se roule par terre, on se roule par terre. S'il fait une randonnée à bicyclette, on l'accompagne. Si on le suit, on devient très en forme en peu de temps. Peut-être est-ce un peu trop pour vous, mais je veux que vous compreniez le principe d'en faire beaucoup.

• Ne pas penser à la distance.

Je reçois beaucoup d'appels ou de lettres de gens qui désirent savoir quelle distance ils devraient parcourir quand ils font du jogging, de la bicyclette, etc. Ils manquent le bateau, peu importe la distance parcourue. Ce qui importe, c'est la durée quotidienne de l'entraînement. On devrait s'entraîner en fonction du temps, non pas en fonction de la distance.

Il y a deux avantages à s'entraîner seulement en fonction du temps. Premièrement, on n'a pas à mesurer le terrain sur lequel on s'entraîne ni à en trouver un qu'il l'est déjà. On a seulement besoin d'une montre-bracelet. On peut aller n'importe où. Deuxièmement, on est moins tenté de s'entraîner de façon excessive. On n'a pas de destination finale à atteindre. Si on accélère, ça ne change pas grand-chose. Le temps ne passera pas plus vite. Quand on se fixe une distance, on a tendance à aller plus vite pour s'en débarrasser. Mais on ne peut pas accélérer le temps.

Quelqu'un a fait remarquer qu'on devrait passer autant de temps à s'entraîner qu'on en passe à manger. C'est exagéré : on n'a qu'à penser au nombre d'heures qu'on passe à se mettre de la nourriture dans la bouche. Même si on passait la moitié de ce temps à s'entraîner, on serait plus en forme qu'un cheval de course. Il suffit de se demander : « Est-ce que j'investis assez de temps chaque jour pour espérer que mon organisme changera de façon positive ? »

• Le froid n'est pas une excuse.

Je donnais une conférence sur l'exercice à Fargo, dans le Dakota du Nord. Quelqu'un m'interpella: « M. Bailey, réalisez-vous le froid qu'il peut faire dans cette région durant l'hiver ? Comment faire pour sortir et faire du jogging ? N'est-ce pas dangereux pour les poumons ? » Eh bien, je me suis simplement arrêté pour y penser, car je ne vis pas dans un endroit où il fait si froid. Puis, j'ai répondu: « Comment se fait-il que vous alliez skier dans le Colorado ? » N'est-ce pas étrange que nous allions skier et jouer dans la neige sans y penser ? On ne se dit pas: « C'était très mauvais pour mes poumons ? » On se dit simplement: « J'ai joué dehors, au froid. » Mais quand on nous demande de courir au froid, on trouve toutes sortes d'objections. C'est une farce ! Ne vous faites pas du froid une excuse.

• La pluie n'est pas une excuse non plus.

Je vis à Portland, en Oregon, et laissez-moi vous dire qu'il pleut tellement ici que les gens ont des toiles d'araignées entre les orteils. Cependant, plus de gens courent à Portland que dans toute autre ville des États-Unis. C'est amusant de courir sous la pluie. Sortir et se mouiller pour ensuite se précipiter sous la douche procure une merveilleuse sensation.

Certaines personnes ne veulent pas s'entraîner lorsque la température est mauvaise, car elles ont peur de glisser, d'attraper un rhume, ou d'endommager leur coiffure. Elles n'ont qu'à faire de l'exercice à l'intérieur. Pas d'excuses !

• Trouver un sport ou en inventer un.

Les gens qui transforment l'exercice en sport ont un avantage. Comparons, par exemple, le cyclisme pratiqué à l'extérieur à la bicyclette stationnaire. En théorie, les deux devraient avoir le même effet. Il ne devrait pas y avoir de différence entre pédaler sur une bicyclette stationnaire 15 minutes ou sur un 10 vitesses 15 minutes. Mais si on compare 100 cyclistes à 100 personnes qui utilisent une bicyclette stationnaire, on remarque que les cyclistes sont plus en forme, qu'ils restent plus en forme et qu'ils sont plus heureux.

Pourquoi ? Il y a plusieurs raisons, mais la plus évidente c'est que personne ne sort sa bicyclette pour 15 minutes. Quand la bicyclette est sur la route, on a tendance à la garder sur la route aussi longtemps que possible. Une autre raison, c'est qu'on associe le cyclisme et les amis. On fait beaucoup de randonnées, non pas parce qu'on a besoin d'exercice, mais parce qu'on aime faire des choses avec des amis. On entend rarement des utilisateurs de bicyclette stationnaire se dire avec enthousiasme : « Allons au parc ce dimanche avec nos bicyclettes stationnaires pour faire un pique-nique. »

De plus, il y a des avantages plus subtils. Par exemple, quand on fait de la bicyclette à l'extérieur, les virages, les arrêts brusques et l'obligation de maintenir son équilibre requièrent la participation de muscles qui ne travaillent pas quand on fait de la bicyclette stationnaire. Quand on fait de la bicyclette à l'extérieur, on utilise ses muscles différemment et plus en profondeur. On sollicite davantage n'importe quel muscle que si on faisait le même exercice sur une bicyclette qui ne menace pas de tomber à chaque instant.

- **Après trois mois, essayer l'entraînement par intermittence.**

On ne doit pas faire d'entraînement par intermittence les quatre premiers mois. Au début, il faut marcher ou faire de la bicyclette lentement. Cela peut même être un peu ennuyeux. Il se peut qu'après deux ou trois mois, on atteigne un plateau et qu'il n'y ait plus d'amélioration. À ce moment-là, on peut essayer un entraînement par intermittence. Il faut lire le chapitre 16 avant de l'essayer. Il faut aussi choisir un jour de la semaine et faire une séance d'entraînement par intermittence, peut-être deux. Par la suite, il faut attendre une semaine pour s'assurer qu'on n'en fait pas trop.

• Oublier les calories.

Les gens me posent toujours des questions sur les calories. Ils me disent qu'ils ont lu tous mes livres et qu'ils ont assisté à toutes mes conférences, mais ils veulent savoir ce qu'ils devraient manger avant de s'entraîner pour brûler un maximum de calories. Ou parfois, ils me demandent: « Est-ce que la bicyclette brûle plus de calories que le jogging? Est-ce que la course brûle plus de calories que la natation ? » Il faut arrêter de penser aux calories. On doit s'entraîner pour une raison: pour changer sa chimie corporelle, non pas pour dépenser beaucoup de calories.

• Ne pas suivre de diète.

La plupart des gens pensent aux diètes en termes de privations. Il semble qu'en Amérique tout le monde pense à consommer moins de calories et à suivre une diète. Eh bien, reprenez courage, je ne veux absolument pas que vous suiviez de diète! En pratique, on n'a qu'une habitude alimentaire à acquérir: manger moins de gras. On ne sent pas que l'on suit une diète parce que ce n'est pas le cas. Il suffit de décider de ne plus donner aux graisses un accès à son alimentation. Le moyen le plus facile, c'est d'arrêter de mettre du beurre, de la margarine ou de la mayonnaise *sur* les aliments.

Quel gâchis d'avoir un bon programme d'exercices et ensuite d'aller mettre une grosse noix de substance huileuse, privée à 100 % de vitamines, sur ses rôties. Il y a déjà assez de gras *dans* la nourriture sans avoir à en ajouter. Pour commencer, il n'est nul besoin de lire un autre livre ou d'assister à une autre conférence. Pour se débarrasser des graisses corporelles, il suffit de faire les exercices que j'ai décrits et d'éviter les graisses dans son alimentation de toutes les façons possibles.

• Manger souvent.

Qu'est-ce qui est le contraire de manger souvent ? Sauter des repas et jeûner, n'est-ce pas ? Les gens en mauvaise forme physique qui se privent de nourriture sont victimes de chutes du taux de sucre sanguin. Ces chutes ont pour effet de précipiter la faim ou la dépression. Quand on est en mauvaise condition physique, on a besoin de conserver un taux de sucre élevé en mangeant souvent. On ne devrait pas recourir aux diètes miracles, sauter des repas ou jeûner. Il faut manger des aliments faibles en gras mais riches en hydrocarbures complexes. On devrait aussi manger souvent, au moins six fois par jour. En passant, si je dis de manger souvent, je ne dis pas de manger plus mais je dis de manger mieux et de répartir la même quantité de nourriture durant la journée.

• Si vous avez d'autres questions, posez-les au renard.

C'est une boutade ! Vous vous demandez sûrement ce qu'elle signifie. Je veux seulement dire d'utiliser votre bon sens. Si vous pensez ne pas être prêt à commencer un programme d'entraînement aujourd'hui, vous vous trompez. Commencez dès maintenant. Vous vous leurrez si vous pensez avoir d'autres questions que celles auxquelles répond ce livre. Sortez et allez-y ! Ne vous inquiétez pas du temps de la journée pour votre séance d'entraînement. Demandez-vous au renard à quel moment de la journée il fait son exercice aérobique ? Demandez-vous à un garçon de 12 ans à quelle heure il fait de la bicyclette ou court ? Devez-vous dire à votre chien de faire ses exercices ponctuellement à 10 heures chaque matin ?

Ce que je veux dire, c'est que les créatures en forme font beaucoup d'exercices. Ne pensez pas au moment de la journée. Si vous êtes matinal, entraînez-vous le matin. Si vous aimez le soir, entraînez-vous le soir. Ne laissez pas quelqu'un qui est « docteur » vous dire quel est le « bon » temps pour vous entraîner. Faites à votre guise, selon votre personnalité.

Les personnes âgées se plaignent que je ne m'adresse pas à elles. Elles se trompent. Je m'adresse aux personnes âgées dans tous mes ouvrages. Pour moi, il n'y a pas de différence entre une personne âgée de 30 ans et une autre âgée de 90 ans. Sortez et entraînez-vous, tout en vous rappelant qu'en vieillissant, les tissus se régénèrent moins rapidement. Obéissez à toutes les règles établies dans ce livre, en n'oubliant pas la règle de vous entraîner plus lentement que si vous étiez jeune. Prenez votre temps, étirez-vous un peu plus longtemps. Pour l'amour du ciel, si vous avez 70 ans, vous devriez avoir atteint un haut degré de sagesse. Il faut utiliser votre matière grise en appliquant les règles. Ralentissez et utilisez votre bon sens.

Les femmes enceintes se donnent des défaites. Elles se disent : « Je suis enceinte, peut-être que je ne devrais plus faire de jogging ou de bicyclette, ou m'entraîner au club. » C'est plutôt bête. Après tout, une renarde enceinte n'arrête pas de courir. Évidemment, une femme enceinte devrait ralentir le rythme. Faites tout ce que vous faites normalement, mais faites-le plus lentement.

Beaucoup de gens me questionnent au sujet des repas. « Devrais-je m'entraîner avant ou après le repas ? » Je crois encore qu'ils coupent les cheveux en quatre. Certains individus mangent, puis s'entraînent sans qu'il y ait de problèmes, d'autres mangent, puis s'entraînent et vomissent. Les personnes de cette catégorie ne devraient pas manger avant de s'entraîner. Au lieu de poser des questions idiotes, il faut aller s'entraîner.

• Répétez-vous en vous entraînant :

« JE NE BRÛLE PAS BEAUCOUP DE CALORIES EN M'ENTRAÎNANT, MAIS MON CORPS SE TRANSFORME EN UNE MACHINE À BRÛLER LE BEURRE. L'EXERCICE A POUR FONCTION DE CHANGER MA CHIMIE CORPORELLE. »

Quand on répète cette phrase, on ne tombe pas dans le piège de se demander ce qu'on doit manger ni si on fait exactement ce qu'il faut faire. Ce n'est pas important. Il suffit de sortir faire quelque chose en se disant : « J'ai besoin d'une mise au point, voilà pourquoi je m'entraîne. » Ce qui compte, c'est la façon dont l'organisme change, se répare et s'améliore après l'entraînement.

programme aérobique et, en six mois, son tour de taille passa de 96 cm à 81 cm. *Et il n'avait pas perdu un seul kilo !* Une femme m'a déjà envoyé une facture de 175 $ pour plaisanter. C'était la somme qu'elle avait dû débourser pour renouveler sa garde-robe après être passée de la taille 12 à la taille 8, *en prenant 3 kilos !*

Étudions ce qui se passe dans les muscles quand on ne les entraîne pas. Nous venons tous au monde avec de longs muscles maigres, très pauvres en graisse. Quand on vieillit et qu'on devient plus sédentaire, les graisses envahissent les muscles. Leur forme change : ils deviennent plus courts et ronds. Ils se saturent éventuellement de graisses. Les lipides commencent alors à s'accumuler sous la peau. Quand on suit une diète, cela n'affecte que le gras sous-cutané. Les diètes n'ont pas d'effet sur les graisses qui sont dans les muscles et la forme des muscles ne change pas. Ils restent courts et ronds. Cependant, en s'entraînant, on brûle les graisses intramusculaires et les muscles reprennent leur forme originale. Les hommes perdent la rondeur de leur ventre et les femmes retrouvent les hanches de leur jeunesse.

C'est le gras sous la peau que l'on peut voir, pincer et peser. Évidemment, la perte de ce gras entraîne un changement de taille. Cependant, la silhouette de la personne ne change pas, ce n'est qu'une version rétrécie de l'original. On passe d'une forme de grosse poire à une forme de petite poire. La définition et la fermeté sont dues aux muscles entraînés, non pas à la perte de graisses sous-cutanées. Quand on fait de l'exercice, on devrait se dire : « Mes muscles deviennent plus maigres et plus élastiques. »

19

Doit-on s'entraîner quand on est malade ?

L'exercice stresse les tissus musculaires et on s'attend à ce que ces tissus endurent les abus et qu'ils récupèrent avant une nouvelle séance d'entraînement. En fait, on espère qu'ils se répareront si bien qu'ils seront plus résistants et plus forts qu'auparavant. En un sens, on endommage les muscles en espérant qu'ils se renforceront en guise de réponse. On s'attend non seulement à réparer les protéines endommagées des tissus, mais à en construire d'autres. La reconstruction requiert la biosynthèse des protéines qui, à son tour, exige de la biochimie d'être efficace et que l'on absorbe des protéines pour fournir les blocs de construction pour la biosynthèse.

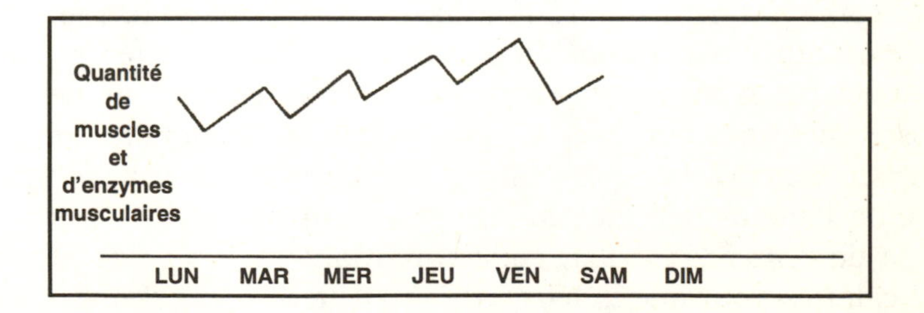

Le graphique ci-dessus illustre comment les muscles et les enzymes musculaires peuvent s'accroître quand on s'entraîne correctement jour après jour. Il est à remarquer que les tissus et les enzymes musculaires décroissent au cours des premières heures suivant l'entraînement. Cette diminution peut être mesurée par une augmentation de l'azote (un élément important des protéines) dans l'urine dans les quatre heures qui suivent la séance. Ce phénomène est suivi d'une baisse de la concentration d'azote dans l'urine, puisque les tissus endommagés absorbent le maximum de protéines produites par la biosynthèse. Si les conditions sont idéales, une personne produira plus de muscles qu'elle n'en a perdu. Après quelques jours, on assiste à un accroissement net des protéines corporelles. Malheureusement, les conditions *ne sont pas* toujours idéales. Par exemple, la personne dont le graphique illustre le changement musculaire s'est entraînée trop longtemps et trop violemment le vendredi, et son organisme a été incapable de synthétiser à nouveau tout ce qu'il avait perdu, avant son entraînement du samedi. Le résultat est une perte nette pour cette période de 24 heures. Il devrait pouvoir contrebalancer cet effet en prenant plus de temps pour récupérer. On voit qu'on peut avoir une perte nette de masse musculaire si on se surentraîne tous les jours.

Le corps a besoin d'énergie pour suivre un programme d'entraînement. Si les réserves de calories sont limitées, les protéines de l'alimentation sont converties en glucides et en lipides pour fournir cette énergie : la biosynthèse est donc entravée. La demande énergétique est toujours prioritaire par rapport à la biosynthèse des protéines. Il est difficile d'établir le niveau minimum requis pour que la biosynthèse se produise. Je suggère qu'un homme de constitution moyenne n'absorbe pas moins de 1500 calories par jour et qu'une femme de constitution moyenne en consomme 1200. Une femme qui peut vivre en absorbant en moyenne 1000 calories ne devrait absolument pas diminuer sa consommation de protéines quand elle commence un programme d'entraînement. Elle devrait même l'augmenter un peu. Les gens qui pèsent 200 kilos et plus doivent *limiter* leur consommation, mais ils *ont* besoin de calories pour que la biosynthèse ait lieu. C'est peut-être en partie pour cette raison qu'elles ont tant de mal à perdre du poids. Peut-être leur problème est-il irréversible, mais il n'y a pas encore de preuve.

En général, plus on vieillit, plus la réparation des tissus est lente : les coupures et les ecchymoses se cicatrisent plus lentement. Cela signifie que les tissus détruits par un exercice violent ne se réparent pas nécessairement en 24 heures. C'est possible d'avoir une perte nette si on exerce le même muscle trop souvent ou trop vigoureusement. Cette possibilité augmente avec l'âge. Des individus dans la soixantaine entreprennent de sérieux programmes d'exercices en toute bonne foi pour finalement se retrouver victimes d'une perte de masse musculaire parce qu'ils s'entraînent trop souvent. La réparation des tissus n'est pas assez rapide pour les dommages qu'ils leur font subir.

Si on est malade, le processus de réparation des tissus peut être ralenti. On peut savoir si la séance est justifiée en déterminant si la « maladie » affecte les mêmes tissus que le programme d'exercices. Prenons par exemple un mal de gorge. S'il résulte du fait d'avoir trop crié à une partie de football ou d'avoir passé trop de nuits dans une chambre enfumée, cela ne devrait empêcher personne de courir. Mais si ce mal de gorge est le résultat d'une maladie généralisée, comme la grippe, alors il vaut mieux ne pas courir. Une maladie généralisée ou une maladie systémique retarde la régénération des tissus, quel que soit l'exercice. Soit dit en passant, des stress émotionnels peuvent aussi ralentir la récupération du système. Il a été prouvé que la nourriture consommée pendant un stress émotionnel n'est pas utilisée aussi efficacement qu'à l'habitude. Durant cette période, il y a un accroissement des déchets nitreux dans l'urine.

Une perte musculaire se produira si :	*Solution*
• l'exercice est trop intense.	• S'exercer à la bonne fréquence cardiaque (voir les chapitres 10, 11 et 12).
• le temps de récupération est insuffisant.	• Pour ceux qui ont moins de 30 ans, attendre 24 heures avant d'entreprendre un autre entraînement.
	• Pour ceux qui ont entre 30 et 50 ans, attendre 24 heures et changer d'exercice chaque jour.

	• Pour ceux qui ont plus de 50 ans, s'exercer tous les deux jours et changer d'exercice à chaque entraînement.
• on est atteint d'une maladie (cela inclut les troubles émotifs).	• Réduire l'intensité de l'entraînement s'il s'agit d'une affliction locale.
	• Arrêter l'entraînement s'il s'agit d'une maladie systémique.
• on suit une diète déséquilibrée ou trop riche en protéines.	• Consommer 60 g de protéines par jour.
	• S'assurer que sa diète est bien équilibrée. Lorsqu'on suit une diète trop riche en hydrates de carbone, les protéines sont transformées en glucose et ne peuvent pas servir à réparer les tissus.

Rappelez-vous que tous ces facteurs sont cumulatifs. Si on souffre d'une maladie systémique légère, doublée de problèmes émotifs et d'une diète inadéquate, une séance d'entraînement n'apporte aucun bienfait. On devient plus sensible à ces phénomènes avec l'âge.

20

La réduction ponctuelle des graisses

Puisque les graisses se concentrent dans certaines parties du corps, on a tendance à croire qu'on devrait mettre plus d'efforts à entraîner ces parties que les autres. Les femmes s'inquiètent des dépôts adipeux au niveau des hanches et des cuisses, tandis que le gras qui se dépose sur l'abdomen rend les hommes anxieux. Ils se font donc avoir par des centres de conditionnement physique qui leur garantissent qu'ils se débarrasseront de leur graisse à ces endroits spécifiques. Ou alors ils achètent toutes sortes d'appareils qui sont censés éliminer les graisses en les poussant, les brassant et les tirant.

Il y a deux méthodes favorites de réduction ponctuelle des graisses : la passive et l'active. Mais ni l'une ni l'autre n'est efficace. En fait, on ne connaît aucune technique non chirurgicale pour enlever la graisse à des endroits précis du corps.

La méthode passive comprend les vibrateurs à courroies ou à rouleaux qu'on voit habituellement dans les centres de conditionnement physique. La théorie qui justifie l'usage de tels instruments veut que, si l'on bat les graisses assez longtemps, elles se briseront et disparaîtront. Je ne peux m'empêcher de penser que c'est de cette façon qu'on prépare le steak suisse ! On ne se débarrasse pas du gras, on l'attendrit. Une variante des rouleaux, quand on n'a pas les moyens de s'inscrire à un centre, consiste à sauter sur son postérieur. Le résultat est le même : un steak suisse !

Les vibrateurs à courroies ou à rouleaux, qui ont tendance à disparaître des centres, sont remplacés par un autre manipulateur de gras : le masseur. En vérité, un massage est très profitable après une séance d'exercices ; cela détend les muscles et stimule le flux de la lymphe, mais on se leurre en pensant qu'un massage accélère la perte de tissus adipeux. La seule perte de graisse pendant un massage a lieu dans le corps du masseur, et non dans celui qui se fait masser.

Une autre méthode passive appréciée consiste à s'attacher une ceinture chauffante autour de l'abdomen. Quand la ceinture est branchée, elle est censée faire fondre et disparaître les graisses mystérieusement. Que se passe-t-il *vraiment* ? La chaleur et la pression font sortir l'eau des tissus de cette région. Si on enlève la ceinture très rapidement et qu'on se mesure, on est émerveillé de constater qu'on a perdu des centimètres de tour de taille ! Cependant, si on attend une demi-heure, la « marée de graisse » revient.

Une autre attrape populaire est le survêtement en coton ouaté, une sorte de méthode de réduction ponctuelle hybride, passive et active. Si on porte un coton ouaté pendant l'entraînement, les naïfs croient que ça augmente la perte des graisses. Laissez-moi vous dire une chose : le gras *bout à environ 180 °C* ! Ce que les survêtements en coton ouaté font en réalité, c'est d'augmenter la perte d'eau et de réduire l'endurance. Un des problèmes les plus dangereux de la course de fond, c'est l'état de prostration thermique. Dans cet état, l'organisme du coureur ne peut pas se débarrasser assez rapidement de sa chaleur. Quand les muscles sont trop chauds, les enzymes sont moins efficaces. Les enzymes sont des protéines, des produits chimiques très délicats qui fonctionnent plus efficacement à la température et à l'acidité du corps. On ne doit pas essayer de jouer au plus fin en leur imposant des températures artificielles. On devrait porter assez de vêtements pour être confortable. La meilleure méthode consiste à porter plusieurs couches de vêtements et à en enlever au fur et à mesure que le corps se réchauffe.

Tout ce qui précède implique qu'il est tout aussi déraisonné d'essayer de perdre du poids dans un sauna ou dans un bain de vapeur. Ce sont simplement des méthodes pour manipuler la température du corps. Ces pratiques sont insensées si on y a recours avec excès (on peut détruire les précieux enzymes qui servent à éliminer les graisses) et elles peuvent être carrément dangereuses quand on se bat contre l'infection d'un virus (la température est déjà élevée). Évidemment, la seule chose qu'on perd, c'est de l'eau, non pas de la graisse.

Qu'en est-il des méthodes actives ? En général, celles-ci impliquent une activité des muscles qui se trouvent directement sous le dépôt adipeux. Je dois avouer m'être fait avoir par une de ces méthodes. Je commençais à avoir un peu de gras autour de la taille, alors j'ai fait ce que tout le monde aurait fait à ma place : des redressements. J'en faisais 300 par jour : en me levant le matin, pendant mes pauses café. Je me coinçais les pieds sous les rails et j'en faisais en attendant le tramway. Je me suspendais même à une barre d'entraînement et je faisais des redressements. Après trois mois, mes abdominaux étaient aussi durs que de l'acier... avec 7 1/2 cm de guimauve par-dessus.

Les femmes se plaignent fréquemment des dépôts de graisse sur le haut des cuisses. Alors, elles font des élévations des jambes et des bottés d'âne, ou alors elles s'achètent une poulie reliée à une charge, dont une extrémité s'attache au sommet d'un cadre de porte et l'autre, à la cheville. Elle entraîne le pauvre muscle à mort.

Les redressements et les exercices pour les jambes sont essentiellement des exercices de musculation. Quand on fait de la musculation, les muscles grossissent (hypertrophie). Le résultat final est un muscle *plus gros* supportant le même dépôt adipeux. Le gras sous-cutané qui recouvre un muscle n'« appartient » pas à ce muscle en particulier. Il appartient à tout le corps. Il sera utilisé seulement si la demande énergétique est assez grande pour l'utiliser comme carburant. Quand on entraîne un seul muscle ou un groupe musculaire relativement petit, la demande énergétique est faible. Mais quand on sollicite un groupe musculaire important, c'est toutes les parties de l'organisme qui perdent du gras afin de répondre à la demande énergétique. Pour se débarrasser du gras, il faut utiliser les muscles les plus gros et les plus affamés (qui demandent le plus de calories). Les plus gros muscles du corps sont situés au niveau des jambes et du fessier – précisément les muscles que sollicite n'importe quel exercice aérobique.

J'essaie de démontrer qu'il est impossible de réduire la quantité de graisse sous-cutanée avec les méthodes de réduction ponctuelle. Cela ne se fait tout simplement pas ! On peut réduire la quantité de graisse intramusculaire en choisissant des exercices qui travaillent une région particulière du corps, mais cela n'affecte pas les dépôts graisseux qui recouvrent le muscle. Il faut penser aux graisses sous-cutanées comme la « propriété » du corps tout entier. La nourriture dans un réfrigérateur « n'appartient » pas au cuisinier parce que le cuisinier se tient en permanence près du réfrigérateur. Le gras sous la peau, à l'instar de la nourriture dans un réfrigérateur, est entreposé pour qu'on en fasse un usage général. Une personne, aussi gloutonne soit-elle, videra le réfrigérateur moins rapidement qu'un grand nombre de personnes affamées mais normales. Un muscle, aussi entraîné soit-il, prendra plus de temps pour se servir d'un dépôt de gras que tout un groupe musculaire raisonnablement entraîné. Pour diminuer ses dépôts de graisse sous-cutanée, il faut entraîner tous ses muscles.

Chez la femme, la graisse sous-cutanée se dépose d'abord derrière les cuisses, puis sur le côté des cuisses, au niveau des hanches, ensuite au niveau de l'abdomen et, finalement, dans le haut du corps, surtout sous les bras. Dans la plupart des cas, les dépôts sont enlevés dans l'ordre inverse. Quand une femme commence à faire de la bicyclette tous les jours, les graisses vont disparaître dans l'ordre inverse de celui qu'elles ont suivi pour se déposer. Même si la bicyclette est surtout un exercice qui sollicite les jambes, on perd d'abord du gras au niveau des bras et, en dernier lieu, au niveau des cuisses.

Peu importe le nombre de fois que j'ai dit qu'il fallait perdre du poids en faisant de l'exercice aérobique systémique, il y a toujours quelqu'un pour me demander comment perdre du poids en un endroit précis. Les femmes qui ont des dépôts adipeux sur les bras semblent convaincues que, pour éliminer ces graisses, il faut nécessairement faire travailler les muscles des bras, faire des pompes, se masser les bras ou se taper les bras. Croyez-moi, faites du jogging ou de la bicyclette, et ce gras disparaîtra beaucoup plus rapidement.

Ces petits faux plis spéciaux sur les jambes des femmes, qu'on appelle souvent la cellulite, c'est seulement une accumulation de gras sous une texture de peau un peu différente. Ça peut rendre une femme folle parfois, mais ne manipulez pas ou n'entraînez pas excessivement cette partie. Au lieu de se préoccuper du gras dans une partie particulière de son anatomie et d'essayer de la changer, on devrait entreprendre un programme d'exercices systémique, plus particulièrement des exercices aérobiques, et faire maigrir l'ensemble. Les bons athlètes ne se préoccupent jamais d'un dépôt de gras précis.

Une partie de la confusion sur les méthodes de réduction ponctuelle des graisses vient du fait qu'on *peut* « s'entraîner ponctuellement ». Peut-être n'avez-vous jamais entendu cette expression auparavant, moi non plus d'ailleurs – en fait, je viens de l'inventer. Ça s'appelle la musculation, mais l'« entraînement ponctuel » n'est-il pas une façon amusante d'y penser ? En changeant la forme et la grosseur de muscles spécifiques, on peut changer sa silhouette de façon systématique. Même s'il est impossible de faire de la réduction ponctuelle, on *peut* pratiquer l'entraînement ponctuel.

d'énergie en peu de temps. C'est ce dont les muscles ont besoin lors d'un grand effort de courte durée. C'est toujours la même histoire que répète ce livre : le corps s'adapte à ses activités les plus fréquentes. Les muscles s'adaptent à fournir des efforts brusques en grossissant et en augmentant leur efficacité à brûler des glucides, le carburant qui agit rapidement. Alors, les adeptes de la musculation deviennent de plus en plus massifs, de plus en plus forts. Leurs muscles deviennent plus aptes à brûler les glucides. Les graisses attendent le jour où ces mêmes muscles s'adonneront à une longue séance d'entraînement aérobique modéré.

Avec de tels arguments, on pourrait conclure qu'il est tout à fait inutile de faire de la musculation. TEL N'EST PAS LE CAS ! La musculation a un impact significatif sur la consommation des lipides quand on la jumelle à de l'exercice aérobique. Je me reporte au fait qu'une augmentation de la force physique améliore les performances sportives. Ceux qui font de la musculation courent, font de la bicyclette ou jouent au basketball avec plus de vigueur. Ils brûlent plus de calories et deviennent en forme plus rapidement. Si on brûle déjà plus facilement de gras grâce à l'aérobique, un peu de musculation accélérera ce processus.

La plupart des adeptes de la musculation n'ont pas beaucoup de gras et ne répondent pas à la description des haltérophiles obèses donnée précédemment. C'est parce qu'ils surveillent leur alimentation et qu'ils font de l'exercice aérobique sans vraiment y penser. Ils jouent au basketball ou au soccer dans la cour, deux sports qui brûlent le gras à une vitesse folle, sans les mettre à leur programme d'entraînement. Après tout, on ne joue au basketball que pour le plaisir.

Si l'on accepte que l'exercice aérobique brûle les graisses et que la musculation développe les muscles, alors on peut mieux gérer son programme d'entraînement dans le but d'obtenir un résultat maximum. Le circuit d'entraînement tente de combiner les deux. Il comporte beaucoup de permutations, mais le principe de base consiste à faire de temps en temps un exercice aérobique – bicyclette stationnaire ou saut à la corde – entre deux exercices de musculation. En général, les charges utilisées sur chaque appareil sollicitent les muscles entre 50 et 60 pour cent de leur capacité maximale et il n'y a pas de repos entre les appareils. Le circuit d'entraînement est-il efficace ? Oui, il en résulte une augmentation de la condition aérobique et un développement des muscles. Cependant, ce n'est pas efficace à 100 pour cent dans l'un ou l'autre des domaines. On a surtout recours à ce type d'entraînement pour récupérer d'une maladie, et c'est un bon moyen de se « maintenir » en forme pendant quelques semaines si on n'a pas le temps de passer à travers son programme régulier.

N'oublions pas que la musculation n'exige pas nécessairement qu'on soulève des poids dans un gymnase. Quand on fait des redressements, on soulève une charge importante, la partie supérieure du corps, avec de très petits muscles, les abdominaux. Un petit muscle qui soulève un poids important, n'est-ce pas là le principe même de la musculation ? Il se produit la même chose quand on exécute des accroupissements ou des pompes. On utilise son propre poids comme si c'était une barre d'entraînement. On peut faire des pompes au sol, face contre terre, ou on peut s'étendre sur le dos sur un banc et soulever une charge de bas en haut, mouvement qui s'appelle le « développé des bras sur banc ». Ces exercices sont presque identiques, mais il y en a un qui requiert un équipement coûteux et l'autre non. La barre fixe est un exemple classique d'exercice de musculation qui sollicite pratiquement tous les muscles du haut du corps, depuis les muscles des poignets jusqu'à la ceinture pelvienne, en passant par les bras, les épaules, le dos et les abdominaux. La barre fixe est un des meilleurs exercices de musculation, et pourtant cela ne demande presque pas d'équipement.

La prochaine fois que vous irez au gymnase, demandez-vous si l'exercice que vous êtes en train d'effectuer a un effet systémique complet ou seulement un effet local. Est-ce un exercice aérobique à long terme, à faible intensité, pendant lequel la respiration est confortable ? Ou est-ce plutôt un exercice de musculation très court, qui demande un effort de respiration ? La musculation produit une sensation de brûlure dans les muscles à cause de l'acide lactique et développe éventuellement les muscles. L'exercice aérobique ne produit pas d'acide lactique ni de sensation de brûlure, et réduit la quantité de graisse corporelle. Ce sont deux excellentes formes d'exercices.

22

Ne pas confondre travail et exercice

Un de mes bons amis, Tim, qui est coureur de fond, a récemment acheté une ferme dans l'Oregon. J'ai vu Tim quelques mois après qu'il eut emménagé et je lui ai demandé s'il se sentait en forme. Tim m'a répondu : « Je travaille tellement dur que je n'ai pas le temps de m'entraîner ! » Cela a l'air étrange, n'est-ce pas ? Chaque matin, Tim se lève au lever du soleil pour traire ses vaches, nourrir ses animaux et faire des bottes de foin. À la fin de la journée, il est épuisé – pourtant il ne sent pas l'effet de l'exercice !

Il faut se rappeler qu'on brûle peu de calories pendant un entraînement quelconque. Que ce soit la musculation, l'aérobique ou autre chose, on brûle très peu de calories *pendant l'exercice*. Mais lorsqu'on s'entraîne, le corps se transforme. L'exercice développe le rythme du métabolisme, augmente la masse musculaire, la concentration des enzymes consommatrices de calories et la consommation des graisses. Un entraînement soutenu variant entre 65 et 80 pour cent de la fréquence cardiaque maximale est très efficace pour apporter ces changements. La plupart des tâches quotidiennes impliquent de très courts efforts, qui sont insuffisants pour apporter ces changements. Pourtant, le travail physique est une forme d'exercice, mais, comme la musculation, cela n'a rien à voir avec le contrôle des graisses corporelles.

Les femmes au foyer s'exclament fréquemment : « De l'exercice ? J'en fais toute la journée ! Je cours après les enfants, je tonds le gazon, je fais la vaisselle, la cuisine et le ménage.

Je n'arrête pas de faire de l'exercice ! » Quand je leur dis qu'elles ne font pas d'exercice du tout, elles sont prêtes à me gifler.

Je m'aperçois que cela peut paraître déroutant, mais abordons le problème sous un autre angle. Supposons qu'on puisse lever 25 kilos à bout de bras. Une femme au foyer soulèvera 10 kilos de linge sale ou 7 kilos d'épicerie, fera le repassage, du jardinage et peut-être donnera-t-elle une fessée à ses enfants. Cependant, à aucun moment de la journée, elle n'a demandé d'efforts *soutenus* à son corps. Pour le muscle, ce n'est que du travail. Elle se sent épuisée à la fin de la journée, mais elle n'a exigé de ses muscles qu'un effort à 50 pour cent de leur capacité. Par conséquent, 50 pour cent de la capacité musculaire laisse place à la graisse. Le travail peut accélérer le rythme cardiaque, mais il est rare qu'on soutienne l'effort assez longtemps pour pouvoir en bénéficier. Le travail devrait être classé dans la même catégorie que la musculation ou le sprint. Ce n'est ni aérobique ni systémique. En général, son intensité est soit trop élevé ou trop faible, ou alors sa durée est trop courte pour susciter les changements métaboliques que nous recherchons.

De plus, la plupart des tâches ne sollicitent qu'un groupe particulier de muscles. L'exercice aérobique sollicite tous les muscles du corps, en incluant le cœur. On peut penser que les bras ne bénéficient pas de la course, mais, sur le plan métabolique, ils se mettent en forme. L'exercice aérobique prépare au travail, mais le travail ne prépare pas à l'entraînement.

Un des hommes les plus gras que j'ai connus était un médecin de Sacramento, en Californie. Son père est mort quand il avait 10 ans, et il a dû devenir financièrement indépendant à partir de ce moment. Il a occupé toutes sortes d'emplois très durs physiquement, de la charpenterie jusqu'au transport de chaudières à charbon. Même après avoir fini sa médecine, alors qu'il aurait pu s'asseoir et se détendre un peu, il a continué à travailler autant. Quand je lui ai fait passer le test du réservoir d'eau, son taux de graisse était de 55 pour cent ! Comment dire à un tel homme que tout le travail qu'il avait fait n'équivalait pas à un entraînement approprié ?

23

L'exercice inconscient

Les gens en forme font souvent de l'exercice sans s'en rendre compte. En d'autres termes, leur condition physique leur permet de faire une activité sans en être conscients. C'est ce que j'appelle l'« exercice inconscient ».

Prenons, par exemple, deux femmes au foyer qui ont le même âge, la même taille et le même poids. La seule chose qui les différencie, c'est que l'une est en forme et l'autre ne l'est pas. La femme en forme lavera la vaisselle plus vite que son homologue obèse. Quand elles font l'épicerie, celle qui est en forme ira probablement plus vite que l'autre et elle brûlera plus de calories. C'est vrai aussi pour toutes les autres activités.

On a mené des études de mouvement et de temps pour montrer, d'une autre façon, les différences pour ce qui est de l'activité. On a filmé des jeunes filles pendant leur cours de gymnastique. Plus tard, en laboratoire, on a fait passer au ralenti ces films et on a étiqueté chaque plan fixe selon que la jeune fille était active ou inactive. Pendant les activités, le taux d'inactivité des jeunes filles obèses était beaucoup plus élevé.

Savez-vous reconnaître les obèses ? Ce sont ceux qui ont le bras le plus long sur un court de tennis. Ils trouvent inconsciemment des méthodes pour frapper la balle en courant le moins possible. Ils y parviennent si bien qu'ils ne bougent même plus. Les obèses se sont adaptés à un rythme d'activité très lent, alors ils en font le moins possible, peu importe l'exercice. Quand notre femme au foyer obèse lave la vaisselle, elle brûle moins de calories parce qu'elle a trouvé le moyen de faire le moins de mouvements possible. Ce n'est que dans les sports les plus actifs que cette économie de mouvements devient évidente, et dans les disciplines très athlétiques, cela devient un handicap – les obèses ne sont pas à la hauteur.

Avez-vous déjà observé deux obèses en train de jouer au tennis ? Ce sont ceux qui ont le bras le plus long !

Les gens en forme, au contraire, sont portés à faire de l'exercice inconsciemment. Ce sont ceux qui gigotent sur les bancs d'église durant la messe et qui vont au réfrigérateur au lieu de demander à leur époux de leur apporter quelque chose. Ce sont eux qui jouent au Frisbee avec leurs enfants quand la famille va faire un pique-nique, au lieu de s'asseoir sur une couverture pour lire le journal du dimanche.

Combien d'exercice inconscient faites-vous ?

Si vous voulez voir de l'exercice inconscient à son meilleur, suivez un enfant de huit ans quelques jours. Les « enfants tranquilles », cela n'existe pas. Pendant le souper, ils se bercent sur leur chaise. Ils gigotent et s'agitent lorsqu'on tente de leur expliquer un jeu calme. Pour eux, il est ridicule de marcher, c'est tellement plus facile de courir. Si les adultes sautaient et sautillaient autant, ils n'auraient pas besoin de lire de livre sur l'élimination des graisses. Les enfants – ainsi que les autres athlètes inconscients – ne cherchent pas consciemment à faire un supplément d'exercice. Ils le font simplement parce que c'est la façon la plus rapide, la plus facile et la plus pratique de faire les choses. Pour eux, c'est plus amusant de bouger que de rester immobile.

Voici un petit test à remplir pour connaître sa cote sur l'échelle de l'exercice inconscient.

1. Quand vous magasinez, est-ce que vous :
   a. stationnez votre voiture dans le premier espace libre et marchez rapidement jusqu'au magasin, en sachant qu'il est plus rapide de marcher que de faire le tour du stationnement en quête d'un espace plus près du magasin ?
   b. roulez dans le stationnement à la recherche d'un espace près de la porte ?
   c. demandez à quelqu'un de vous déposer devant la porte ?

2. Quand vous devez aller au deuxième étage d'un magasin, est-ce que vous :
   a. montez les escaliers ?
   b. montez les escaliers mobiles ?
   c. vous laissez porter par l'escalier mobile ?

3. Lors d'un pique-nique familial, vous relaxez en jouant au :
   a. Frisbee.
   b. au fer à cheval.
   c. au rami.

4. En attendant votre avion à l'aéroport, est-ce que vous :
a. marchez ?
b. lisez un livre ?
c. lisez un livre en cassant la croûte ?

5. Quand vous récupérez vos bagages après un voyage en avion, est-ce que vous :
a. vous placez à l'extrémité du carrousel, en sachant que marcher compense pour le fait de ne pas avoir à se battre avec la foule ?
b. vous placez au début du carrousel en vous battant avec les autres voyageurs pour une place ?
c. engagez un bagagiste ?

6. Quand vous allez à la station-service, est-ce que vous :
a. faites le plein, lavez les vitres et vérifiez l'huile vous-même ?
b. faites le plein vous-même en bloquant la pompe pour pouvoir attendre dans la voiture ?
c. dites au commis : « Le plein, s'il vous plaît » ?

7. Quand vous entendez une musique que vous aimez vraiment, est-ce que vous :
a. vous levez immédiatement pour danser ?
b. restez assis en bougeant au rythme de la musique ?
c. tapez du pied ?

8. Quand vous regardez le télévision, est-ce que vous :
a. vous levez pour faire de petites tâches ?
b. vous étirez en restant assis ?
c. demandez à votre conjoint de vous apporter quelque chose à manger ?

Résultats :

Chaque *a* donne 3 points, chaque *b*, 2 points et chaque *c*, 1 point.

22 à 24 points : vous êtes un « athlète » de l'exercice inconscient (ou un enfant).

12 à 22 points : vous faites de l'exercice inconscient à l'occasion.

12 points et moins : vous devez avoir de merveilleux loisirs comme collectionner les timbres et dormir.

Non seulement les obèses bougent-ils le moins possible, mais j'en ai aussi rencontré qui trouvaient des moyens sournois pour éviter de faire de l'exercice. J'ai travaillé dans une clinique de surveillance du poids à San Francisco dont les clients avaient tous au moins 30 kilos de trop. Je me souviens du jour où j'ai demandé à Marjorie d'enfourcher une bicyclette stationnaire. J'ai ajusté la bicyclette à sa taille et je l'ai laissée après lui avoir demandé de pédaler 10 km. Je me suis détourné pour conseiller une autre femme et j'ai été surpris, quelques minutes plus tard, de retrouver Marjorie à mes côtés. Elle m'a dit avec un sourire satisfait : « J'ai terminé. » Je pensais qu'elle avait été sur cette bicyclette moins de trois minutes. D'ailleurs, elle n'avait pas l'air très en sueur. Je ne voulais pas l'accuser de ne pas avoir fait l'exercice, car il était bien possible que j'aie perdu la notion du temps, alors je lui ai dit : « C'est merveilleux, montre-moi comment tu as fait. » Marjorie avait d'abord desserré le système de tension de la bicyclette afin de mettre la résistance à zéro. Puis, elle avait enfourché la bicyclette et donné un bon coup de pédales. Finalement, elle les avait laissé aller jusqu'à ce qu'elle dût donner un autre coup de pédales. « J'ai fait 10 km en 3 minutes, dit-elle fièrement, ça fait 200 km à l'heure. »

Dans cette même clinique, on demandait aux clients de passer un test en marchant 2 km aussi vite que possible. Ce test nous permettait de connaître leur condition physique de départ. On donnait aux clients un chronomètre et une carte sur laquelle était tracé un parcours d'exactement 2 km dans les rues de San Francisco. Il avait fallu trouver un parcours sans raccourcis, car nos clients coupaient à travers les ruelles, rampaient pour passer par le trou d'une clôture, faisaient n'importe quoi pour éviter de faire tout le parcours. Certaines personnes marchaient les 2 km en 45 minutes. Elles se reposaient à chaque poteau de téléphone. Je devins assez habile à juger le temps que quelqu'un prenait pour faire le parcours, et quand Dorothée est arrivée à la clinique, j'ai pensé qu'elle allait être partie tellement longtemps que j'aurais le temps d'aller dîner. Heureusement que je n'y suis pas allé, car Dorothée est revenue après 12 minutes ! Elle avait pris un taxi ! Parole d'honneur ! Elle s'était rendue au premier coin de rue et avait décidé que ce n'était pas pour elle, alors elle avait hélé un taxi pour revenir à la clinique.

Ce que je veux mettre en évidence, c'est qu'en faisant seulement 12 minutes d'exercice par jour, on change notre attitude pour toute la journée – on fait plus d'exercice inconscient –, ce qui a une grande portée. On finit par brûler plus de calories chaque jour parce que l'on bouge plus sans s'en rendre compte. Les gens supposent à tort que leurs besoins caloriques diminuent avec l'âge parce que leur métabolisme ralentit. Ils s'imaginent qu'une mystérieuse réaction chimique se produit dans l'organisme. Tel n'est pas le cas. Leur métabolisme ne ralentit pas, ce sont eux qui ralentissent, qui bougent moins.

24

Le poids d'équilibre, qu'est-ce que c'est ?

La plupart des adultes ont remarqué que même si leur poids fluctue, il semble tourner autour d'un poids « normal » moyen ; autrement dit, si on mange trop, on prend du poids temporairement, mais quand on revient à des habitudes alimentaires normales, on revient à son *poids d'équilibre*. De la même façon, un jeûne peut provoquer une perte de poids, mais aussitôt qu'on revient à ses habitudes alimentaires, le corps reprend le poids perdu. Cela implique que l'organisme s'oppose au changement dans l'un ou l'autre sens.

Le poids d'équilibre d'un grand nombre de personnes semble trop élevé. C'est comme si leur organisme voulait être gras. Beaucoup de gens obèses, même si leur obésité les rend malheureux, admettent cependant que leur poids est stationnaire. C'est ce qui fait croire que le poids d'équilibre est héréditaire et immuable. Quand le poids d'équilibre est calibré au point de l'obésité, on finit par penser qu'on est condamné à rester obèse.

La plupart des gens oublient que, lorsqu'ils étaient jeunes, leur poids d'équilibre était moins élevé. Beaucoup de jeunes dans la vingtaine maintiennent un poids assez bas malgré de grands changements dans leur alimentation ; quand ils arrivent à la quarantaine, leur poids se stabilise à un niveau plus élevé. En d'autres termes, le poids d'équilibre peut changer – ce n'est pas une affliction immuable et héréditaire avec laquelle il faut vivre pour le reste de ses jours.

Le poids d'équilibre change, mais, dans la plupart des cas, c'est seulement en augmentant. La question est alors : le poids d'équilibre peut-il baisser ? La réponse est catégorique : oui ! On *peut* diminuer le poids d'équilibre et le stabiliser à un niveau moins élevé et plus sain. Il est vrai qu'on hérite de caractéristiques corporelles et qu'une personne peut avoir plus de difficulté à changer son poids d'équilibre qu'une autre.

Cependant, le poids d'équilibre *peut* changer. On peut ajuster le thermostat d'une maison simplement en tournant un bouton. Ne serait-ce pas merveilleux de pouvoir trouver le bon bouton pour son organisme, de le tourner et de regarder son corps s'ajuster au nouveau taux de graisse. On consacre des années à tenter de changer la position du bouton invisible de contrôle du poids en suivant des diètes, mais les mécanismes de l'organisme s'opposent à de tels changements.

Comme c'est le cas pour de nombreux problèmes, la solution au problème du poids d'équilibre suppose beaucoup de compréhension. On doit prendre conscience d'un certain nombre de facteurs qui augmentent ou réduisent le nombre de calories brûlées par le corps. Si on clarifiait ce point, cela nous donnerait peut-être accès au contrôle du bouton secret qui contrôle le poids d'équilibre.

L'organisme utilise les calories que l'on absorbe de trois façons : certaines servent de source d'énergie, d'autres, à la production de chaleur et le reste est mis en réserve sous forme de gras. La production de chaleur diminue avec l'âge parce qu'on a tendance à porter plus de vêtements et à augmenter le chauffage de la maison lorsqu'on a froid. La prochaine fois que vous verrez des enfants qui attendent l'autobus scolaire un jour frisquet, remarquez comment ils sont légèrement vêtus comparativement à vous qui portez un manteau dans une voiture chauffée. Les enfants sont pourvus d'une unité de thermorégulation très au point. S'il fait froid, ils produisent plus de chaleur – ils brûlent plus de calories. C'est une des raisons pour lesquelles les enfants ont les jambes creuses – ils chauffent la maison avec tout ce qu'on leur sert à manger. En grandissant, on les réprimande constamment pour les forcer à moins bouger. On leur dit de ne pas courir dans la maison. Les enseignants leur demandent de rester assis sans bouger. Les chauffeurs d'autobus les exhortent à rester à leur place. En grandissant, ils vont moins vite et ont besoin de moins de calories pour faire de l'exercice. En même temps, le contrôle naturel de la température corporelle se perd. Cette baisse du besoin calorique nécessaire pour bouger et produire de la chaleur est subtile, mais elle contribue grandement à transformer les calories en graisses.

Quand on perd l'habileté à produire la chaleur dont on a besoin, on convertit un nombre croissant de calories en graisses. Le gras agit alors comme isolant pour qu'on ait moins de chaleur à produire. Commence alors un cercle vicieux. L'isolation par le gras augmente, la quantité de chaleur à produire diminue et on produit encore plus de gras.

Je crois qu'on se joue un tour en évitant d'avoir froid. Quand les enfants sortent au froid (sans le manteau que leur mère leur a dit de porter), leur organisme s'adapte en quelques instants de sorte qu'*ils n'ont vraiment pas* froid. Cependant, les parents debout à côté d'eux ont froid et répètent que les enfants ont froid, mais qu'ils sont trop stupides pour l'admettre.

La thermorégulation est importante lorsqu'on a trop chaud. Les coureurs produisent un surplus de chaleur pendant une course et, si la journée est chaude et humide, ils ont peine à s'en débarrasser. Pendant la course du « Peach Tree » à Atlanta, il y a quelques années, plus de femmes ont abandonné que d'hommes à cause d'une prostration thermique. On a supposé que le corps d'une femme refroidit plus lentement que celui d'un homme. Mais des études subséquentes en laboratoire ont prouvé que l'habileté à se débarrasser de la chaleur dépend du niveau de la forme physique et de la quantité de graisse corporelle plutôt que du sexe. Les femmes avaient plus d'ennuis parce qu'elles étaient plus grasses et moins en forme. Les femmes qui font de la compétition de nos jours ont moins de problèmes à éliminer un excédent de chaleur, car elles sont plus en forme.

Le but de tout cela est de montrer qu'on peut changer son habileté à créer de la chaleur et à se refroidir. Ces deux fonctions sont plus directement liées à notre niveau de forme physique qu'à des caractéristiques héréditaires.

La production de chaleur n'est qu'un des mécanismes qui établissent la poids d'équilibre. Considérons-en un autre : la musculature.

Les muscles sont uniques à cause de leur habileté à produire de soudaines poussées d'énergie. Toutes les cellules requièrent de l'énergie, mais seules les cellules musculaires subissent de grands changements pour ce qui est du besoin énergétique. Par exemple, un neurone n'utilise que deux fois plus d'énergie pendant une réflexion intense que durant le sommeil. Par contre, quand les cellules musculaires passent du repos à l'effort, leur demande énergétique peut être multipliée par 50 en une fraction de seconde. Un muscle possède des enzymes spéciales qui le rendent apte à brûler de grandes quantités de calories en peu de temps. Le tissu musculaire est le seul doté d'enzymes spécialement conçues pour une hausse soudaine de la consommation calorique. Finalement, les muscles constituent une grande portion du corps, entre 30 et 50 pour cent.

Mettons ces trois facteurs ensemble. Premièrement, les muscles consomment beaucoup de calories, puisque le mouvement demande plus de calories que toute autre fonction. Deuxièmement, les muscles utilisent beaucoup de calories parce que la musculature constitue une partie importante du corps. Quand on ajoute à cela le troisième facteur, c'est-à-dire que les enzymes spécialisées des muscles multiplient la demande énergétique musculaire par 50 pendant l'effort, il devient alors évident que, pour brûler des calories, on doit prendre en considération la quantité et la qualité des muscles.

La musculature compte pour 90 pour cent du métabolisme. En d'autres mots, si l'on absorbe 1000 calories par jour, environ 900 de ces calories seront brûlées par les muscles. Quand on perd de la masse musculaire, on perd de la « machinerie » métabolisante, et les besoins caloriques diminuent. Parce qu'on a besoin de moins de calories, on engraisse en continuant d'absorber le même nombre de calories qui servaient avant à maintenir le poids stable. Perdre de la masse musculaire ne veut pas dire qu'on a l'air plus mince. Les biceps peuvent garder la même circonférence qu'avant la perte, mais ils manquent de « tonus ». Leurs protéines ont diminué et les graisses ont augmenté. Vos muscles sont-ils mous ?

Même si j'encourage l'exercice aérobique parce qu'il améliore la musculature des trois façons que j'ai mentionnées précédemment, l'exercice anaérobique peut aussi avoir un effet sur le poids d'équilibre. Il ne transforme pas énormément les enzymes qui brûlent les lipides, mais il *change* la taille des muscles. Prenons, par exemple, la musculation. Les adeptes de la musculation croient qu'ils dépensent beaucoup de calories au gymnase. C'est faux. Ils dépensent des calories, bien entendu, mais pas tant que ça. Cependant, leur masse musculaire augmente ; ils ont donc besoin de plus de calories durant toutes les autres heures de la journée. La musculation peut donc affecter le poids d'équilibre parce qu'une plus grande masse musculaire augmente le nombre de calories nécessaires pour maintenir le même poids. De plus, la musculation améliore le mécanisme de régulation de la chaleur (vu précédemment) et affecte ainsi le poids d'équilibre d'une autre façon.

Ceux dont le poids d'équilibre semble être trop élevé présentent une autre bizarrerie métabolique. Ils ne traitent pas les sucres de la même façon. L'ingestion de sucre fait monter le taux de glucose dans le sang et entraîne la production d'insuline par le pancréas. L'insuline se répand dans toutes les parties du corps (sauf dans le cerveau) et fait ouvrir les cellules pour qu'elles reçoivent du glucose, ce qui fait baisser le taux de glucose dans le sang. Les cellules musculaires sont supposées absorber la plus grande partie du glucose. Cependant, les muscles qui ne sont pas « en forme » résistent à l'action de l'insuline, c'est ce qui s'appelle l'insensibilité à l'insuline. Il en résulte que, chez les gens qui ne sont pas en forme, le taux de sucre sanguin reste élevé plus longtemps après un repas. Quand le glucose est rejeté par les cellules musculaires qui ne sont pas en forme, il est « acheminé » vers les cellules adipeuses. Là, il est transformé en glycérol qui sert alors à produire les triglycérides, la forme d'entreposage des graisses corporelles. Parce que les muscles mous rejettent le glucose, les obèses entreposent du glucose sous forme de gras, au lieu de l'entreposer sous forme de glycogène comme le font les gens en forme.

J'espère que le poids d'équilibre a maintenant une nouvelle signification pour vous. Ce n'est pas l'affaire d'un seul mécanisme de contrôle du poids, mais d'un ensemble de mécanismes.

Le contrôle de la faim est un autre facteur qui affecte le poids d'équilibre. Quand on fait de l'exercice, le pH du sang change et neutralise directement la faim. Ce changement sanguin libère aussi de l'endomorphine dans le cerveau, qui change l'humeur de façon positive et modifie *indirectement* la faim en affectant l'attitude. Après tout, la plupart d'entre nous mangeons trop ou nous mangeons des aliments engraissants quand nous sommes déprimés ou frustrés. La libération des tensions et de l'anxiété par l'exercice mène à une alimentation plus saine. De façon assez typique, ceux dont le poids d'équilibre est élevé (dont le taux de graisse résiste au changement avec entêtement) ont une alimentation moins disciplinée et pensent en permanence à la nourriture. Les créatures en forme (incluant les animaux sauvages) mangent ce dont ils ont *besoin*, tandis que les créatures grasses mangent ce qu'elles *veulent*.

Les gens dont le poids d'équilibre est très élevé ont des cellules adipeuses différentes. Je ne fais pas allusion au nombre de cellules adipeuses – cette excuse à l'obésité n'est plus valable. Je parle des enzymes dans les cellules adipeuses qui transforment la nourriture en dépôts de gras. Ces enzymes sont particulièrement actives chez ceux dont le poids d'équilibre est élevé. Pour les obèses, cela peut sembler une autre remarque qui les condamne à tout jamais. Heureusement, ce phénomène est également réversible, car ces enzymes qui produisent les dépôts de graisse décroissent avec l'exercice.

Le poids d'équilibre peut changer ! Au cas où vous n'auriez toujours pas compris, je vous dis exactement où se cache le bouton de contrôle magique. Ce bouton, c'est l'*exercice*. L'exercice abaisse le poids d'équilibre ; le manque d'exercice l'augmente. Jetez un coup d'œil, à la page suivante, à la liste des mécanismes. L'exercice change chacun d'eux. Maintenant vous comprenez pourquoi je dis que les diètes ne sont pas efficaces. Les diètes peuvent réduire les graisses, mais elles n'abaissent pas le bouton de contrôle.

Qu'est-ce qui affecte le poids d'équilibre ?

1. La production de chaleur.
2. La masse musculaire.
3. La proportion sucre/insuline dans le sang.
4. Le contrôle de la faim.
5. L'humeur.
6. Les enzymes des cellules adipeuses.

L'exercice remet à l'heure tous les mécanismes corporels pour réduire la quantité de graisse. C'est l'ultime bouton de contrôle du poids d'équilibre.

faible que le moindre effort met fin à la consommation de gras. Si j'étais très gras, j'abandonnerais mon travail et les travaux ménagers pour marcher de trois à quatre heures par jour. Je ne m'accorderais pas une minute de repos, mais je serais très prudent de ne pas excéder 80 pour cent de mon rythme cardiaque maximum.

26

Le gras a-t-il des avantages?

Bien sûr qu'il en a! Pour des créatures qui doivent se déplacer sur de longues distances afin de trouver le gîte et s'alimenter, le gras est une des plus belles choses qui soient. Il faut comprendre que tout ce qui vit, même les plantes, entrepose de l'énergie pour les moments où la nourriture est difficile à trouver ou à produire. On entrepose donc des calories sous forme de glucide ou de lipide. Cependant, les glucides sont des calories assez encombrantes et lourdes, trop embarrassantes pour des créatures qui se déplacent. Les plantes, qui ne se déplacent pas, entreposent seulement des glucides, tandis que les animaux entreposent surtout leurs calories sous forme de graisse.

La plupart des gens savent que le gras donne deux fois plus d'énergie que le même poids de glucide. Il existe une autre raison, bien plus importante, pour laquelle les animaux entreposent l'énergie sous forme de gras. Les glucides sont entreposés dans les cellules du corps sous forme de glycogène. Le glycogène ne peut occuper que 15 pour cent de l'espace dans une cellule. Le reste de l'espace doit être libre pour remplir d'autres fonctions, dont la plupart d'entre elles requièrent un milieu aqueux. Quant aux cellules adipeuses, elles peuvent contenir 85 pour cent de gras, ne laissant que 15 pour cent d'espace pour les fonctions vitales de la cellule qui ont besoin d'un milieu aqueux. Cela signifie que non seulement les lipides donnent plus d'énergie que les glucides, mais qu'un petit espace peut en entreposer beaucoup plus.

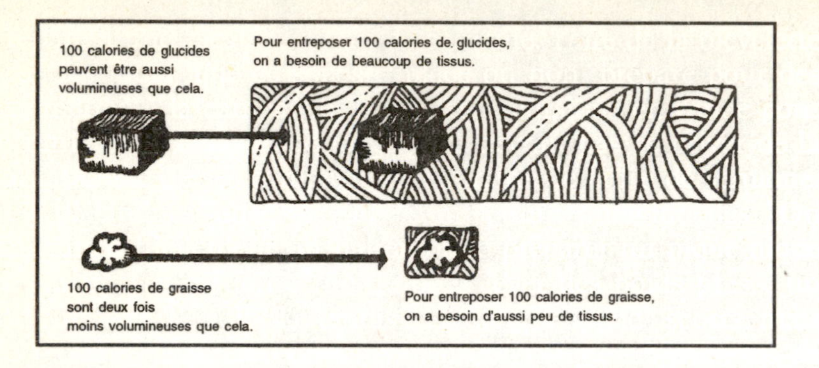

Il en résulte que les graisses corporelles, qui sont constituées de gras pur à 85 pour cent, donnent environ 7700 calories par kilo. Par contraste, le foie, qui emmagasine les glucides sous forme de glycogène, n'entrepose que 550 calories par kilo. J'ai calculé que si je voulais jeûner trois semaines et avoir suffisamment de réserve pour survivre tout ce temps, il me faudrait accumuler 4 kilos de graisse autour de la taille ou la même quantité de calories sous forme de glycogène dans un foie de 57 kilos (et une brouette pour transporter le tout).

Évidemment, pour une créature mobile, la formule gagnante, c'est la merveilleuse invention appelée le gras. Les plantes entreposent la majeure partie de leur énergie presque exclusivement sous forme de glucide, ce qui ne les désavantage pas puisqu'elles n'ont pas à se déplacer. Les seules exceptions sont les graines, qui sont transportées ailleurs par le vent, l'eau ou les animaux pour y devenir de nouvelles plantes. Les graines contiennent beaucoup de gras : ce qui nous donne l'huile de carthame, l'huile d'arachide et l'huile de tournesol.

Il existe aussi une exception dans le règne animal. L'huître et les autres animaux à coquille, qui restent immobiles dans l'attente de leur nourriture, peuvent sembler gras, mais ils ne le sont pas en réalité. Ils entreposent leur énergie sous forme de glucide, car la compacité du gras ne leur apporte aucun avantage.

Les plantes furent les premiers vivants sur la terre. Après un certain temps, elles se sont mises à ramper au sol et on les a appelées des animaux. Cela veut dire que les glucides sont apparus les premiers dans l'évolution et que le gras n'a fait son apparition qu'avec les animaux. C'est pourquoi on considère que le gras appartient à un échelon supérieur de l'évolution. Si on est obèse, on peut se consoler en disant à ses amis qu'on se situe tout en haut de l'échelle évolutive.

Puisque le gras fournit une source d'énergie si pratique, les animaux supérieurs ont développé plusieurs façons d'en produire. Le corps peut fabriquer du gras à partir des protéines, des glucides, ou de gras puisé dans l'alimentation : graines, viandes ou produits laitiers. En d'autres termes, presque tout ce qu'on mange, si c'est digestible, peut être transformé en gras. C'est de là que vient le problème. Et les obèses sont particulièrement efficaces à transformer la nourriture en gras.

Il faut réaliser que la capacité à entreposer de l'énergie sous toutes ses formes est un grand avantage pour les créatures vivantes. C'est comme avoir de l'argent à la banque : ça multiplie le nombre de possibilités de faire des choses intéressantes dans la vie. On devrait considérer les réserves de graisse comme un mécanisme de sûreté. À l'aube de l'humanité, les êtres humains, comme les animaux, ont dû affronter à l'occasion de courtes famines. À cette époque, on pouvait, comme un chameau, vivre des réserves puisées dans sa bosse. Les humains, en tant que créatures très évoluées, ont développé plusieurs chemins biochimiques pour synthétiser les graisses ainsi que d'autres mécanismes biochimiques pour contourner l'utilisation du gras afin de le conserver.

Une hypothèse selon laquelle l'embonpoint est un problème moderne veut que nous ayons hérité de l'habileté à entreposer très facilement le gras. Selon cette théorie, nos ancêtres dans leur caverne devaient sûrement laisser passer quelques jours entre deux repas. Ceux qui ont survécu étaient probablement ceux dont le corps était capable de s'adapter à ces rudes conditions. Et une façon de s'adapter a été de transporter une réserve de graisses. Naturellement, ces hommes primitifs ne devaient pas sembler gras. Ils étaient beaucoup trop actifs. Cependant, ils nous ont transmis la capacité à entreposer les graisses. Le corps qu'on a aujourd'hui est toujours en alerte au cas où il y aurait une famine et il conserve une partie des calories de chaque repas sous forme de graisses.

Ce chapitre met en évidence le fait que le corps considère le gras comme un mécanisme physiologique de sûreté. Il réagit au stress physiologique en entreposant plus de graisses et en brûlant moins de gras emmagasiné. Les recherches n'ont pas prouvé que *toutes* les formes de stress ont cet effet, mais plusieurs sont reconnues pour l'avoir. Il semble prudent d'éviter les pertes de poids bizarres, car le corps réagit en augmentant sa capacité à entreposer les graisses, même si on perd du poids.

Par exemple, on peut prouver que la fameuse formule de la diète riche en protéines et pauvre en glucides augmente le pourcentage de nourriture qui se transforme en gras, même si on perd du poids. Après quelques mois de cette diète, même si on a perdu 13 kilos, l'organisme se transforme de sorte qu'on finit par développer la chimie d'un obèse. La tendance à engraisser est plus grande qu'avant la diète !

Les gens hantés par l'idée de perdre du poids veulent des résultats instantanés, mais les méthodes pour perdre du poids rapidement ne font qu'augmenter la capacité du corps à synthétiser du gras. Le jeûne est un autre stress reconnu pour avoir le même effet. Cela rend plus gras, même si on croit devenir mince (voir à ce sujet le chapitre 30). Il faut se rappeler que le gras est un bienfait de la nature. L'organisme réagit à des comportements radicaux en essayant de produire plus de gras, même si on perd du poids.

27

L'effet des diètes riches en protéines : la *perte* musculaire

On sait que les calories sont très concentrées dans les graisses, alors si on cherche à perdre du poids, on évite le gras. Il y a aussi l'idée fausse que les glucides font engraisser, alors on les évite également. Ceci ne laisse que les protéines. Aux États-Unis, tout le monde fait l'éloge des protéines. Tout cela a commencé avec les rapports sur les carences protéiniques en Inde et en Afrique. Puis, les entraîneurs et les athlètes se sont laissé dire que les muscles sont faits de protéines : la ruée vers les protéines était lancée. On associe désormais les protéines à la santé, à la vie et à tous les domaines du bien-être. Même les fixatifs pour les cheveux annoncent leur teneur en protéines. Les saucisses de Francfort sont critiquées pour leur faible teneur en protéines. Les adeptes de la musculation ajoutent des protéines en poudre à leur lait de poule et à leur sandwich au jambon.

Naturellement, la diète pour perdre du poids la plus populaire encourage une grande consommation de protéines et une faible consommation de glucides et de gras. Que faire pour obtenir une diète riche en protéines ? En mangeant de la viande, n'est-ce pas ? Eh bien, si vous ne l'aviez pas remarqué, la viande, surtout aux États-Unis, est très riche en gras. En vérité, c'est le gras de la viande qui lui donne tout son goût. Plus le bifteck est cher, plus il contient de graisse intramusculaire. Ceci signifie qu'une diète riche en protéines est *aussi* une diète riche en gras. À vrai dire, les diètes faibles en glucides les plus populaires contiennent tellement de viande, et donc tellement de gras, qu'elles comportent plus de calories par portion qu'une diète riche en glucides.

Cependant, les gens perdent effectivement du poids avec les diètes riches en protéines. En effet, parce que le gras ralentit la digestion, alors on se satisfait de moins de nourriture. Une raison du succès apparent de ces diètes, c'est qu'une consommation importante de protéines tend à réduire la quantité d'eau corporelle. Si on perd cinq kilos avec une telle diète, peut-être qu'un kilo ou un kilo et demi a été perdu seulement par déshydratation. Plus tard, le corps récupère l'eau perdue et la diète devient beaucoup moins efficace qu'elle ne le semblait.

Ce n'est pas la seule critique à faire à ces diètes. Le grand danger, c'est qu'elles mènent à une perte musculaire et qu'elles sont responsables de la perte de tonus et d'efficacité des muscles.

Puisque les seules sources de calories sont les glucides, les lipides et les protéines, les diètes consistent à manipuler sans fin ces trois catégories de nutriments. Mais peu de gens connaissent la façon merveilleuse dont le foie les manipule.

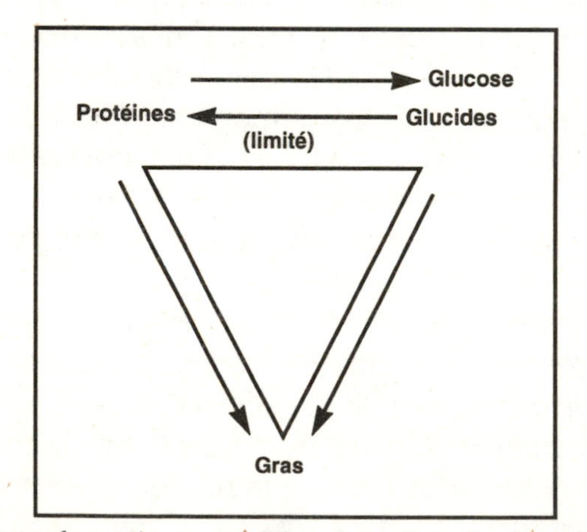

Les transformations possibles des aliments dans le foie.

Après avoir été dirigés dans le sang, ils sont transportés vers le foie, qui les transforme d'une catégorie à l'autre, comme le montre le diagramme ci-dessus. Le corps a besoin des trois catégories : lipides, glucides et protéines. Bien sûr, le foie est si sensible à ces besoins qu'il convertit très rapidement une catégorie de nutriment en une autre, si on prend un repas très déséquilibré. Le foie semble dire : « Ne t'en fais pas, tu peux prendre ce repas déséquilibré, je vais redresser la situation. » On peut avoir de nouvelles idées très intelligentes sur le corps qui a plus besoin de ceci et moins de cela, mais le foie est beaucoup plus intelligent que quiconque.

Il faut noter que, dans le diagramme de la page précédente, il existe plusieurs transformations (« interconversions »), mais il n'y a pas de flèche qui part du gras. Les graisses ne se transforment jamais en protéines ni en glucides. Quand j'ai dessiné le triangle, j'étais de mauvaise humeur, alors j'ai mis le gras en bas pour bien montrer qu'un excès de quoi que ce soit dans une diète mène inévitablement vers le bas, c'est-à-dire vers le gras. Qui veut du gras au bas du ventre ? Tout ce que le corps peut faire avec le gras, c'est le brûler dans les muscles, comme le montre le diagramme suivant.

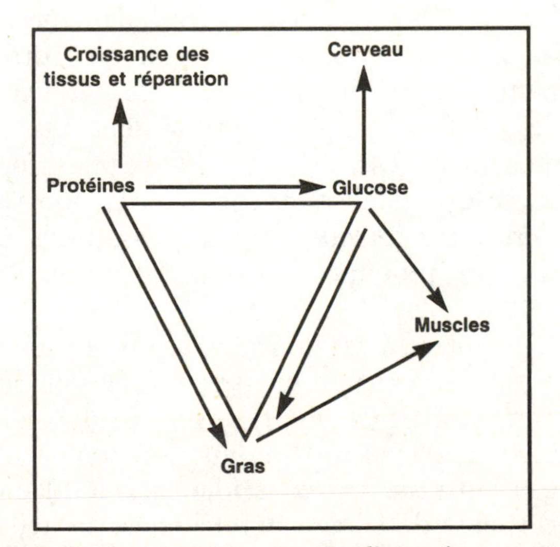

Les chemins de la consommation des protéines, du gras et du glucose.

Il faut aussi remarquer que les protéines peuvent être transformées en glucose. Quand on pense au glucose, on pense habituellement aux muscles parce qu'ils brûlent le glucose pour en tirer de l'énergie. Pourtant, les muscles peuvent vivre sans glucose. Ce qui est essentiel de connaître au sujet du glucose, c'est son utilité pour le cerveau. Le cerveau *a besoin* de glucose ! Demandez à ceux qui souffrent d'hypoglycémie comment ils se sentent lorsque leur taux de sucre sanguin est bas. Ils se sentent faibles, étourdis et parfois ont des troubles de la vue. Quand on ne fait pas d'exercices, le cerveau s'accapare des deux tiers du glucose contenu dans le sang. Pensez à ce que cela signifie : un organe qui ne pèse que 1 kilo consomme 66 pour cent du glucose qui circule dans le sang, pendant que de 13 à 32 kilos de muscles se contentent des 33 pour cent qui restent. En d'autres termes, quand on ne s'entraîne pas, un demi-kilo de cerveau brûle 66 fois plus de glucose que la même masse de muscles. Le cerveau est un très grand consommateur de glucose.

En outre, même si le cerveau ne peut pas se passer de glucose, ce n'est pas le cas des muscles ! Si on s'entraîne trop, les muscles consomment trop de glucose et le cerveau est victime d'une carence, ce qui provoque les symptômes mentionnés précédemment. Ce n'est qu'un des mécanismes de sûreté de l'organisme. Je suis convaincu que lorsque le bon Dieu nous a créés, Il savait que nous allions être des créatures insensées, les seules créatures qui croient que s'entraîner jusqu'à l'épuisement est un jeu. Si on va trop loin, on s'évanouit parce que le cerveau manque de nourriture. Il est difficile de s'entraîner lorsqu'on a perdu connaissance, alors le foie convertit les protéines en glucose pour suppléer au manque.

Le but de tout cela est de montrer que la conversion des protéines en glucose est une puissante fonction du corps qui entre en action si on met nos réserves de glucose en danger d'une façon ou d'une autre. Pendant longtemps, on a pensé que le glucose entreposé dans le foie, appelé glycogène, était la principale source de sucre sanguin entre les repas. On sait maintenant que le foie réserve son glycogène. Au lieu de le transmettre au sang, le foie préfère transformer les protéines en glucose.

Si on survit en suivant une diète de famine, que ce soit volontairement pour perdre du poids ou involontairement comme dans les camps de concentration, on change des protéines d'une grande valeur pour le corps en sucre sanguin destiné au cerveau. On perd ainsi du muscle, le précieux tissu qui est censé brûler la nourriture absorbée. Si la diète est non seulement faible en calories mais aussi très faible en glucides, on perd des protéines encore plus vite. Les diètes riches en protéines et pauvres en glucides sont aussi faibles en calories que les diètes dans les camps de prisonniers. Elles détruisent le tissu musculaire si on les suit sur une longue période de temps.

Il semble étrange qu'une diète qui augmente l'apport de protéines cause une perte de protéines musculaires, mais ça se produit parce que l'apport calorique total est très faible. Le corps peut se servir des protéines d'un repas pour en faire du glucose pendant une période de deux heures suivant le repas si les aliments étaient faibles en glucides (n'est-ce pas une façon coûteuse d'obtenir son glucose quotidien ?). Mais, après ce laps de temps, il ne reste plus assez de protéines même si on a pris un repas extrêmement riche en protéines. Deux heures et demie après un repas, toutes les protéines de ce repas ont été utilisées d'une façon ou d'une autre et elles ne sont plus disponibles pour produire du glucose. Comment le cerveau va-t-il survivre jusqu'au prochain repas ? Il devra se nourrir à même le corps. Le corps va briser son propre tissu musculaire (les protéines) et le transformer en glucose. Ce processus se produit, qu'on suive une diète équilibrée ou une diète déséquilibrée riche en protéines et faible en glucides. Il faut comprendre que les protéines qu'on mange doivent servir à réparer les tissus du corps qui ont été détruits pendant le temps où l'on n'a pas mangé. Au lieu de cela, quand on suit une diète riche en protéines et faible en glucides, les protéines servent immédiatement à la production de glucose et les muscles ne sont pas réparés. (Dans une diète bien équilibrée, les glucides sont transformés en glucose et laissent les protéines disponibles pour la réparation des muscles.) Le résultat net d'une diète riche en protéines et faible en glucides, c'est qu'on détruit les muscles sans jamais les réparer, ce qui provoque une perte de la masse maigre. Comme je l'ai déjà mentionné, on peut perdre jusqu'à un kilo de muscles pour chaque kilo de graisse perdu avec l'une de ces diètes.

La majorité des experts sont d'accord pour dire que 60 g de protéines par jour suffisent à combler nos besoins *et* à fournir les suppléments protéiniques nécessaires lorsqu'on est enceinte, qu'on allaite, qu'on a la grippe, qu'on a un membre cassé ou qu'on fait de la musculation. Une diète riche en protéines qui comporte un excès de calories, comme les diètes suivies par les haltérophiles qui essaient de *prendre* de la masse musculaire, ne causera pas de perte musculaire.

Qu'arrive-t-il lorsqu'on absorbe trop de protéines ? Qu'advient-il des acides aminés (les protéines) excédant nos besoins essentiels ? Quand les acides aminés ne sont pas nécessaires, ils sont acheminés vers le foie où ils sont « désaminés » et convertis en GRAS. Mais ce n'est pas tout : le processus de « désamination » peut causer du stress à l'organisme lorsqu'il se produit souvent. Pendant le processus de désamination, l'azote libérée par les protéines est rapidement transformée en ammoniac. L'ammoniac est très toxique pour l'organisme, il est donc transformé en urée. L'urée est toxique aussi, bien qu'à un moindre degré. Pour l'éliminer de l'organisme, il faut la diluer dans l'urine. Avec une diète normale et bien équilibrée, dans laquelle les protéines ne constituent que 12 ou 13 pour cent de la consommation calorique totale, le corps se débarrasse très facilement de l'urée. Mais qu'arrive-t-il quand on augmente subitement la consommation de protéines ? On doit se débarrasser de l'urée et on a besoin d'une quantité énorme d'eau pour la diluer. On peut boire beaucoup d'eau, mais cela sera insuffisant. Inévitablement, le corps doit utiliser l'eau de ses propres tissus pour diluer l'urée. Soudainement, on impose une surcharge de travail aux reins pour qu'ils se débarrassent de l'urée. On perd du poids à une vitesse folle, mais on perd surtout de l'eau. L'organisme peut perdre jusqu'à cinq kilos et demi d'eau pendant une diète riche en protéines et pauvre en glucides, selon la quantité d'eau qu'on boit pour compenser.

Comment s'assurer qu'une diète comporte assez de protéines tout en consommant assez de glucides et de vitamines ? Nous savons de façon empirique qu'on devrait prendre chaque jour deux portions de 90 g de viande (de préférence, des viandes maigres comme le poulet ou le poisson) ou, mieux encore, de substituts de viande (les fèves, les pois et les lentilles). De plus, on devrait consommer deux portions

(250 ml par portion) de lait écrémé ou d'un autre produit laitier comme le yogourt, le fromage cottage à 1 pour cent de m.g. ou du fromage (une tranche équivaut à une portion). On devrait équilibrer ces aliments riches en protéines en prenant chaque jour quatre portions de glucides sous forme de fruits et de légumes et quatre portions de pain et de céréales riches en fibres, qui sont des produits céréaliers (voir à ce sujet le chapitre 28). Pour déterminer la grosseur d'une portion de fruit ou de légume ou encore de pain et de céréales, on imagine l'aliment coupé en petits cubes. S'il remplit une tasse de 250 ml, alors c'est une portion.

Même s'il est important de bien équilibrer les protéines et les glucides dans sa diète, on n'a pas à s'inquiéter de consommer suffisamment de gras. Il est presque impossible de *manquer* de gras. Même si on décidait d'éliminer de son alimentation tous les produits venant de la viande, on aurait quand même du gras venant des noix et d'autres graines, incluant le germe de blé.

28

Pourquoi manger des fibres ?

Jetons un coup d'œil à l'ensemble des glucides qui se trouvent dans un seul aliment, comme le maïs sur son épi. Comme on peut le constater dans le diagramme ci-dessous, un grain de maïs contient tout un éventail du complexe des glucides. Quand on a établi au début les tables de nutrition, le maïs était considéré comme digeste à 98 pour cent parce que l'hémicellulose et la lignine n'étaient pas encore connues.

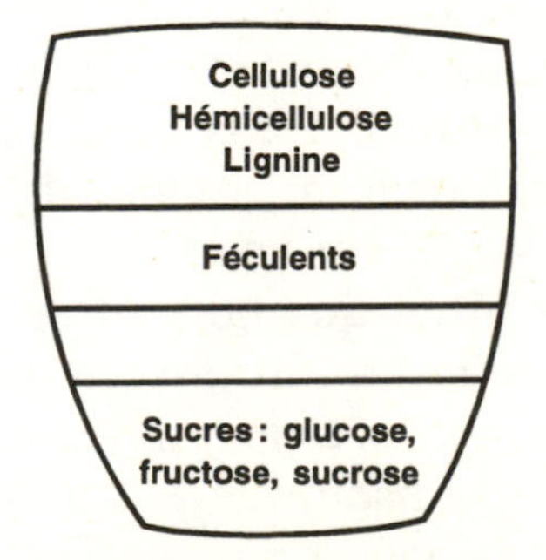

Le complexe des glucides contenus dans le maïs.

À cette époque, on mettait le maïs dans un verre, on le hachait et on le faisait « digérer » par des acides et des bases trouvés en laboratoire. Après la digestion, il restait 2 pour cent de maïs non digérés. Cependant, des laboratoires en Angleterre ont récemment fait des expériences de digestion un peu plus réalistes en utilisant des enzymes trouvées dans le tube digestif. Avec cette méthode, 12 pour cent du maïs n'avait pas été digéré, et des recherches ultérieures ont permis de découvrir un nouvel ensemble de glucides appelés lignine et hémicellulose. En d'autres termes, le maïs est beaucoup moins digeste que l'avaient prévu les tables de nutrition. La plupart des gens savent déjà par expérience personnelle que le maïs ne se digère pas très bien.

Le maïs est un grain de céréale, comme le seigle, le blé, le riz, l'orge et l'avoine. Toutes ces céréales ont un point en commun : leur enveloppe extérieure. Cette enveloppe peut être brisée en petits flocons qu'on appelle le son. Le son n'est rien de plus que la fibre de glucide du grain. On aurait pu croire que le son avait des propriétés magiques puisqu'il était encensé par tous il y a quelques années. Toutefois, le son n'est qu'une forme de fibre. De plus, si on augmente la quantité de fibres dans sa diète en saupoudrant tous ses aliments avec du son, on n'obtient pas les bénéfices nutritifs du grain.

Les études réalisées en Afrique sur les diètes riches en fibres *ne* font *pas* l'éloge des vertus des fibres pures ; elles parlent des *aliments* riches en fibres. Les Africains, protégés du cancer du côlon, de la diverticulite et de l'appendicite par leur diète, *ne* saupoudrent *pas* de son sur leurs Cheerios. Ils consomment le son directement sur le grain, c'est-à-dire qu'ils mangent des grains *entiers*. Dans certaines cultures dont les diètes sont riches en fibres, on mange du blé, dans d'autres, du maïs ou du riz. Mais dans toutes ces cultures, le grain est consommé relativement entier, non raffiné et dans son état le plus naturel. De cette façon, on obtient toute la panoplie des glucides, plus les vitamines et les minéraux associés à chaque groupe de glucides. En consommant le grain entier, ces peuples en retirent plusieurs bénéfices :

1. Les fibres diminuent la valeur calorique des aliments.
2. Les fibres sont difficiles à mâcher, alors on a moins tendance à faire d'excès de table.
3. Les fibres protègent le tube digestif.
4. Ils tirent les vitamines et minéraux *du* grain comme le veut la nature.
5. Les sucres simples donnent de la saveur aux aliments, mais il leur faut du temps avant d'arriver dans le sang.

On nous presse de manger des fibres, mais personne ne dit que *les fibres sont des glucides*. Bien que le mot « glucides » soit presque devenu un blasphème, il est bizarre que le mot « fibres » soit devenu un mot magique. Même s'il y a de grandes différences entre les différents glucides, ils ont tous un point en commun, sur le plan chimique. Par exemple, une fois qu'on les a digérés, ils sont tous décomposés dans l'intestin et deviennent un glucide plus simple, le glucose. Seulement certains d'entre eux se décomposent très rapidement et d'autres, très lentement. D'autres, comme la cellulose, ne se décomposent pas du tout. Les glucides complexes se transforment en sucre sanguin très lentement, tandis que les sucres plus simples comme le maltose, le lactose qu'on trouve dans le lait et le sucre de table se changent en glucose presque instantanément. Les glucides complexes peuvent même diminuer la disponibilité des sucres dans les aliments.

Les gens qui nous encouragent à manger des fibres ont bien raison. On devrait consommer davantage de ces formes de glucides. On devrait diminuer la consommation de sucres simples parce qu'ils sont, en quelque sorte, prédigérés et qu'ils causent de brusques fluctuations du taux de sucre sanguin. JE VOUS ENJOINS D'AUGMENTER VOTRE CONSOMMATION DE GLUCIDES, MAIS SEULEMENT DES GLUCIDES COMPLEXES.

29

Quelle quantité de gras faut-il consommer ?

Cinq mots suffisent pour répondre à cette question : NE CONSOMMEZ PAS DE GRAS ! fin du chapitre. Passons à la question suivante.

Quand je dis à mon auditoire de ne pas manger de gras, il y a toujours quelqu'un pour me demander sur un ton inquiet : « N'y a-t-il pas une forme de gras que je dois consommer ? N'est-ce pas essentiel d'inclure une forme de gras ou d'huile à ma diète ? » C'est vrai : certains acides gras (par exemple l'acide linoléique, l'acide linolénique et l'acide arachidonique) ne sont pas synthétisés par l'organisme, on doit donc les tirer de l'alimentation. Cependant, si on a une alimentation équilibrée comprenant des éléments des quatre groupes alimentaires, il est impossible de *ne pas* obtenir ces acides gras essentiels. Même si je vous enjoins de ne manger aucun gras, vous retirez assez de gras de votre alimentation. Après tout, d'où vient l'huile de maïs ? Du maïs, n'est-ce pas ? Alors, si on mange du maïs, on consomme de l'huile de maïs. De la même façon, le blé entier contient du germe de blé qui, lui-même, contient de l'huile. L'acide gras oméga-3, présent dans le poisson, est l'un des agents reconnus de prévention des maladies cardiaques. Est-ce que cela veut dire qu'il faut commencer à arroser nos aliments d'huile de poisson ? Bien sûr que non ! Il faut manger du poisson. Il faut arrêter d'extraire l'huile des aliments. Il ne faut pas mettre d'huile de maïs (margarine) sur ses aliments, mais manger du maïs ! Il faut consommer le produit à son état naturel.

Ce que je veux dire, c'est que, même avec une diète « sans » gras, on obtient tous les gras essentiels dont on a besoin. C'est tout spécialement vrai si on augmente sa consommation de grains entiers, de fruits et de légumes entiers. Ces aliments fournissent les acides gras essentiels et les vitamines A, D, E et K, solubles dans le gras.

Les gens se laissent dire *quel genre* de gras ils devraient consommer. Doit-il être poly ou mono, insaturé ou saturé ? On sait par expérience que les gras saturés (qui viennent des produits animaux) sont plus dangereux pour le système cardiovasculaire que les gras insaturés. Alors, l'Association américaine du cœur fait des campagnes pour faire baisser la consommation de gras saturés. Par contre, l'Association américaine du cancer recommande de réduire la consommation de gras polyinsaturés parce que ça peut produire des radicaux libres qui sont responsables du cancer. Ces deux organismes devraient cesser de dire quel genre de graisse on doit manger pour enjoindre les Américains de manger moins de gras ou d'huile de toute sorte.

On ne peut que se réjouir de voir tous les produit à faible teneur en matières grasses qui sont maintenant disponibles. Il existe de très bons dîners congelés à faible teneur en matières grasses, des vinaigrettes sans huile qui sont tout aussi riches et crémeuses que leurs équivalentes huileuses, des yogourts frais et glacés sans gras. On élève même les animaux dans le but de produire des coupes de viande moins grasses. La plupart des magazines publient des recettes sans gras et même les chaînes de restauration rapide consacrent une partie de leur menu à des plats sans gras. Il est plus facile de nos jours de suivre la règle du « sans gras, s'il vous plaît ».

Pourtant, la grande majorité des Américains consomment approximativement 45 pour cent de leurs calories sous forme de lipides. L'Association américaine du cœur recommandait une diète comprenant 30 pour cent de gras, mais elle a maintenant baissé sa norme à 20 pour cent. Est-ce vraiment difficile à faire ? Pas vraiment. Quelques changements simples comme boire du lait écrémé, ne pas mettre de beurre sur son pain, ne pas manger de viande rouge plus de deux fois par semaine et utiliser de la vinaigrette sans huile devraient suffire.

Quand les obèses se rendent compte à quel point il est simple d'entreprendre un programme d'entraînement, ils se disent : « Je peux le faire ! » Eh bien, il est tout aussi simple d'apporter des changements à son alimentation ! Il ne faut pas faire de changements radicaux au début. On choisit un seul aliment gras : on l'élimine ou on lui substitue un produit sans gras. Par exemple, on commence par substituer le yogourt glacé à la crème glacée. Un mois plus tard, on peut arrêter de mettre du beurre sur son pain et ses pommes de terre. Si le pain est bon, il sera encore meilleur sans beurre. On peut humidifier les pommes de terre avec une sauce ou une vinaigrette au fromage bleu. On reste surpris de son bon goût.

Le tableau au bas de la page fait des recommandations sur la consommation de gras et l'apport de calories. Au contraire de l'Association américaine du cœur et de la plupart des diètes, je ne fais pas les mêmes recommandations à tous. Chacun est différent, après tout. Les gens qui se maintiennent en forme peuvent se permettre de consommer plus de calories et de gras. Une personne dans la catégorie 1 n'a pas à se restreindre autant qu'une personne de la catégorie 2.

Apport de calories et consommation de gras quotidiens

	Si votre pourcentage de gras corporel est		*Si vous ne connaissez pas le pourcentage de gras corporel*, mais vous*	*Vous devriez ingurgiter*			
				Calories par jour		*Consommation de gras par jour (en grammes)*	
	Hommes	*Femmes*		*Hommes*	*Femmes*	*Hommes*	*Femmes*
Catégorie 1 (diète réduite à 25 % de gras)	15 % et moins	22 % et moins	êtes satisfait de votre poids actuels	2400 à 2700	1700 à 2000	Pas plus de 75	Pas plus de 55
Catégorie 2 (diète réduite à 20 % de gras)	16 à 26 %	23 à 35 %	désirez perdre de 2 à 7 kg	1800 à 2200	1400 à 1700	40 à 50	30 à 40
Catégorie 3 (diète réduite à 10 % de gras)	27 % et plus	36 % et plus	désirez perdre plus de 7 kg	1400 à 1800	1000 à 1400	15 à 20	10 à 15

Attention : N'utilisez pas votre poids comme critère de départ. Il est plutôt préférable d'avoir fait mesurer préalablement son gras corporel.

Si on est gras ou en mauvaise condition physique, on doit suivre une diète très stricte, mais sans se décourager. Il faut savoir se détendre ! Il faut adopter à propos de la nourriture la même attitude qu'à l'égard de l'exercice. Il faut faire des changements progressifs. De petits changements alimentaires jumelés à beaucoup d'exercice modéré donneront des résultats maximums.

30

Le jeûne

Quand le corps manque de nourriture, l'organisme subit un stress et il tend à se faire des réserves de gras pour les urgences. En d'autres termes, *un jeûne encourage le corps à être encore plus gras*. Une étude faite sur des rats illustre ce phénomène. On a séparé 50 rats en 2 groupes. On a donné la même quantité de nourriture aux deux groupes. Le groupe A («les grignoteurs») avaient la possibilité de manger toute la journée, mais le groupe B («les goinfres») n'avaient qu'une demi-heure pour manger. Il a fallu un peu de temps aux goinfres pour s'adapter à ce rythme, mais lorsqu'ils ont compris qu'ils n'auraient pas d'autre nourriture pendant 23 heures et demie, ils gobaient tout leur repas en moins de 30 minutes. Les deux groupes recevaient une petite quantité de nourriture et ont perdu environ le même poids.

Après six semaines, on a remis les rats à une diète normale. Cela a permis aux goinfres de redevenir des grignoteurs. Les deux groupes prirent du poids, mais les goinfres en prirent beaucoup plus. Les chercheurs ont analysé les enzymes responsables du dépôt de gras chez ces rats. Il n'y avait pas eu d'augmentation de la concentration de ces enzymes chez les grignoteurs. Au contraire, les enzymes avaient été multipliées par 10 pendant le jeûne chez les goinfres. Même si les rats perdaient du poids parce que leur diète était pauvre en calories, leurs organismes semblaient dire: «Dès que je disposerai de plus de nourriture, je vais faire des réserves au cas où un tel stress se reproduirait.»

En d'autres termes, si on *doit* suivre une diète, il ne faut pas faire l'erreur de jeûner ou de ne manger qu'un repas par jour (ce qui revient à un jeûne de 23 heures). Il faut étaler son apport calorique tout au long de la journée, en cinq ou six petits repas. Sinon, on prépare son corps à un sérieux gain de poids dès qu'on abandonne la diète.

Cette augmentation des enzymes qui déposent les graisses ne dure pas toujours. Leur concentration redevient normale quand on met fin à la diète. Dans le cas des rats, cela a pris 18 mois pour que la concentration redevienne normale – trois fois plus de temps que pour la déséquilibrer.

Maintenant qu'on sait que le gras constituait à l'origine tout un avantage pour les animaux mobiles et qu'il représente un magnifique système de sécurité contre la famine, on peut apprécier et comprendre pourquoi l'organisme essaie d'en produire plus sous l'influence du stress. Un jeûne temporaire est un stress ! Ne prendre qu'un repas par jour est interprété par l'organisme comme un jeûne de 23 heures, ce qui provoque la transformation en graisses d'une plus grande proportion des aliments. Cela implique que moins de nourriture est disponible pour donner de l'énergie et pour la réparation des tissus. De même, l'organisme interprète la plupart des diètes riches en protéines et pauvres en calories comme des situations d'urgence, ce qui augmente les dépôts de graisses.

31

Conseils contradictoires

Vous allez sûrement recevoir de l'information qui semble contredire ce qui est écrit dans ce livre. Il faut alors se demander si l'information ou les résultats des recherches présentés concernent les obèses ou les gens en forme. Par exemple, mes préventions contre l'exercice, particulièrement le surentraînement, s'adressent aux 99 pour cent de la population qui ne fait pas de compétition. Le chapitre sur l'entraînement par intermittence s'adresse aux athlètes. Cette forme d'entraînement peut s'appliquer à plusieurs sports, mais si on prend l'exemple de la course, la technique demande un sprint sur une distance d'environ 50 m, suivi d'une période de jogging, jusqu'à ce qu'on retrouve son souffle. Sans jamais s'arrêter, on alterne jogging et sprint. Cette technique s'est avérée très efficace pour les athlètes de compétition. Cependant, elle ne s'applique pas à l'autre 99 pour cent de la population.

Mon but est de faire comprendre qu'il existe beaucoup de techniques très efficaces pour les athlètes, qui ne valent rien pour les gens qui ne sont pas en forme. Même le jeûne, qui est discrédité dans le chapitre précédent, est bénéfique aux marathoniens. Leur organisme supporte de tels stress d'une manière tout à fait différente. La consommation de sucre est un autre objet de contradiction. Nous mangeons tous trop de sucre; ça détruit la dentition et ça cause beaucoup d'autres problèmes. Par ailleurs, pour les athlètes qui sont en situation de compétition, une bouchée de sucre pur peut être bénéfique.

Voici un autre sujet qui porte à confusion. Une recherche faite par les plus grands scientifiques d'Harvard a montré qu'une période de 10 semaines d'entraînement aérobique n'avait aucun effet sur l'obésité. Si on lit l'étude, on découvre qu'au départ, les sujets pesaient 205 kilos et avaient un taux de graisse moyen avoisinant 80 pour cent. Les chercheurs ont déclaré que 10 semaines d'entraînement n'ont pas diminué la tendance de ces personnes à engraisser. Bien sûr que non! Même si le taux de graisse des sujets a baissé à 75 pour cent, cela ne change pas le fait que ce sont des gens très gras avec la chimie corporelle des obèses. Ils souffraient encore d'insensibilité à l'insuline et étaient encore incapables de métaboliser le gras. Chez ce genre d'obèses, l'exercice n'agit que sur le gras sous-cutané et n'a pas d'effet sur la musculature. En outre, quand les obèses font de l'exercice, cela déclenche la faim. Si ces gens s'entraînaient modérément sur une période plus longue, ils *pourraient* changer leur chimie corporelle.

Même le conseil de manger avant de s'entraîner est mal interprété par des entraîneurs qui, pourtant, ont les meilleures intentions du monde. Quand on participe à une compétition, on subit un stress extrême, ce qui est *an*aérobique. Sous l'influence d'un stress anaérobique, l'afflux du sang vers le système digestif est grandement diminué, ce qui gêne la digestion. Alors, si on entreprend une course *intense* juste après le déjeuner, on s'expose à une indigestion. Les enfants qui nagent juste après un repas souffrent de crampes, puisqu'ils ont tendance à nager par poussées violentes. Mais ce que je mets de l'avant, c'est l'exercice aérobique MODÉRÉ! Les changements brusques dans la digestion, l'afflux du sang et la sécrétion d'adrénaline ne sont pas typiques de l'exercice aérobique. Un repas équilibré, suivi d'une séance d'aérobique, convient à la plupart des gens.

De même, on exagère la nécessité de s'échauffer et de se refroidir. Bien sûr, ces deux étapes sont nécessaires, mais elles sont beaucoup moins importantes pour les athlètes du dimanche que pour les athlètes qui font de la compétition. Se réchauffer et se refroidir cinq minutes en s'entraînant plus lentement suffisent quand on ne s'entraîne pas pour la compétition.

Supposons que seulement 1 pour cent de la population soit très athlétique et engagée dans la compétition. Supposons également que 4 pour cent de la population soit extrêmement obèse, c'est-à-dire qu'elle accuse un surplus d'au moins 50 kilos.

Cela nous laisse avec 95 pour cent des gens, aux États-Unis, qui sont entre les deux et qui ne se tromperont pas en suivant les conseils donnés dans ce livre. Malheureusement, la plupart des autres conseils sur l'exercice viennent d'observations faites sur des athlètes (1 pour cent de la population), ce qui veut dire qu'ils ne s'appliquent pas à la majorité. La plupart des recherches et des conseils sur les problèmes de poids viennent d'observations faites sur les 4 pour cent de gens très obèses qui détestent l'exercice, et ne s'appliquent ni à vous ni à moi.

32

Une petite question, M. Bailey !

Cela me fait toujours sourire quand on me dit : « Une petite question ! » La « petite question » demande généralement une réponse très longue. Chaque semaine, je reçois des douzaines de lettres qui portent sur les problèmes qu'ont les gens avec leur programme d'entraînement. J'aimerais répondre à chacune d'elles individuellement, mais je n'ai ni le temps ni le personnel pour le faire. J'ai regroupé ici quelques petites questions de mes lecteurs. Peut-être y trouverez-vous réponse à la question que vous vous posiez.

Cher M. Bailey,

Je suis une femme de 30 ans, je mesure 1,62 m et je pèse 61 kilos. J'ai passé un test pour déterminer mon taux de graisse (méthode d'immersion dans l'eau), avec un résultat de 16 pour cent de gras. Selon votre livre, c'est un taux très faible pour une femme. Cependant, je trouve que 61 kilos est un poids excessif pour ma taille. Je cours tous les jours pendant une heure en faisant un kilomètre en 5 minutes. Je consomme environ 2000 calories par jour et, selon le tableau du rapport poids-grandeur, je devrais peser 54 kilos. Que faire pour perdre 7 kilos ? Manger moins ? Faire plus d'exercices ?

Becky M.
Chicago, Illinois

Chère Becky,

J'ai déjà reçu un grand nombre de lettres de femmes comme vous qui sont extraordinairement en forme, mais qui s'inquiètent de ne pas avoir le corps de la femme « idéale ». Heureusement, les idées changent et on voit de plus en plus de femmes très féminines, dans les magazines féminins, annoncer de nouveaux produits avec des bras bien musclés. Ces femmes sont belles et minces, mais avec ce genre de musculature, elles n'ont certainement pas le profil des mannequins de type Twiggy d'autrefois.

Non ! Vous n'avez pas à perdre de poids ! Avec 16 pour cent de graisse, vous êtes très en dessous de la femme moyenne avec ses 32 pour cent. Vous avez même moins de graisse que les 22 pour cent que je recommande habituellement aux femmes. Les femmes qui ont un taux de graisse comme le vôtre sont ordinairement des monitrices de danse aérobique, des culturistes, des gymnastes ou des coureuses. À propos, puisque vous avez passé le test d'immersion, je ne doute pas de sa précision. On peut parfois avoir des résultats inexacts en faisant ce test à cause de la rétention d'air (dans le maillot de bain, le tube digestif ou dans les poumons), mais cela donnerait un taux plus *élevé*. Il est pratiquement impossible d'avoir un résultat inférieur au vôtre.

Du taux de 16 pour cent de gras, on calcule :

61 kilos × 0,16 = 9,8 kilos de gras
61 kilos – 9,8 kilos = 51,2 kilos de masse maigre

Considérons ces chiffres : 9,8 kilos de gras et 51,2 kilos de masse maigre. Est-ce que 9,8 kilos, c'est excessif ? Non, la plupart des femmes en forme (et les hommes aussi d'ailleurs) ont de 9 à 11 kilos de gras. Est-ce que 51,2 kilos de masse maigre, c'est trop ? Si on regarde la charte de la masse maigre du chapitre 7, on voit que la plupart des femmes de votre taille ont de 38 à 45 kilos de masse maigre. Avec 51,2 kilos, vous avez environ 6 kilos de muscles et d'os de plus que la moyenne des femmes de votre taille.

Devez-vous perdre de la masse maigre ? Non ! Si le poids en trop vient d'une ossature plus lourde que la moyenne, il est presque impossible de perdre de la masse maigre à moins de se couper une jambe. Si l'importance de votre masse maigre est due à une grande quantité de muscles, vous pourriez en perdre en suivant une diète riche en protéines et faible en calories, ce qui aurait les mêmes effets destructeurs sur les tissus que le fait de vous couper une jambe.

Arrêtez de vous faire du souci à propos de votre poids et comptez-vous chanceuse d'avoir hérité d'un corps aussi fort et en santé. Ne faites qu'une bouchée des autres femmes au tennis et soyez une des seules, lors d'une randonnée, à transporter son sac à dos sans se plaindre.

Cher M. Bailey,

Je mesure 1,80 m et je pèse 68 kilos. Je consomme plus de 3500 calories par jour pour garder ce poids. Je ne fais pas beaucoup d'exercices parce que cela me fait perdre du poids. J'ai récemment passé le test pour connaître mon taux de gras et j'en avais 24 pour cent. On m'a dit que pour atteindre les 15 pour cent idéals, je devrais peser 61 kilos. Je ne vois pas comment on peut me faire une recommandation si insensée quand j'ai déjà l'air si maigre avec mon poids actuel ?

John A.
Minneapolis, Minnesota

Cher John,

Quand nous testons les gens à notre clinique, nous leur disons de façon routinière ce qu'ils devraient peser pour avoir 15 pour cent de gras (ou 22 dans le cas des femmes). À partir de vos résultats, je calcule :

68 kilos × 0,24 = 16 kilos de gras
68 kilos – 16 kilos = 52 kilos de masse maigre

Sachant cela, nous devons nous poser deux questions. Premièrement, combien de gras doit-on additionner à 52 kilos pour obtenir un homme qui a 15 pour cent de graisse corporelle ? Dans votre cas, on a besoin de 9 kilos, parce que votre poids total devrait être 61 kilos. (Pour les lecteurs qui s'intéressent aux mathématiques, j'ai trouvé tout cela en divisant 61 par 0,85, le réciproque de 0,15.) En d'autres termes, un poids de 61 kilos vous donnerait un taux de graisse de 15 pour cent. Cela aurait pour conséquence que votre femme vous quitterait et donnerait l'impression à vos amis que vous êtes très malade.

La solution évidente est d'augmenter votre masse maigre pour que vous pesiez 68 kilos tout en n'étant pas trop gras. Puisque ma première question amenait une perte de poids déraisonnée, nous nous demandons maintenant : Combien de masse maigre devez-vous gagner pour peser 68 kilos et avoir 15 pour cent de gras ?

68 kilos × 0,15 = 10 kilos de graisse
68 kilos –10 kilos = 58 kilos de masse maigre

En d'autres termes, vous devez gagner 7 kilos de masse maigre en perdant 7 kilos de gras. Vous avez mangé comme un fou pour maintenir votre poids et tout ce que cela vous a donné, c'est un ajout de gras. On ne peut pas augmenter sa masse musculaire simplement en mangeant. Pour stimuler la croissance des muscles, on doit faire de l'exercice. Toutes ces calories que vous consommez peuvent être converties en muscles au lieu d'être transformées en gras. Réduisez votre consommation de calories à 3000 par jour et commencez à faire 30 minutes d'exercices tous les deux jours. Cela ne développera pas vos muscles parce que l'exercice aérobique ne le fait pas. Mais il faut bien commencer quelque part, dans le but de réveiller les enzymes de vos muscles et de les faire fonctionner de manière appropriée. Après environ six mois de ce régime, vous ajouterez un programme de musculation pour les jours où vous ne faites pas d'entraînement aérobique. Vous êtes un homme assez maigre, alors vous n'aurez probablement jamais l'air de Hulk. Un homme d'une carrure un peu plus grosse peut gagner jusqu'à 6 kilos de muscles en quelques mois, mais dans votre cas, j'espère que vous gagnerez 3 kilos la première année. (Les femmes qui sont minces peuvent gagner 1 kilo par année.)

En maintenant votre poids à 68 kilos, mais en changeant lentement le rapport entre le gras et la masse maigre, vous serez surpris de l'allure que vous obtiendrez. Votre taille sera plus mince, vos épaules élargiront, vos bras seront moins flasques et vos jambes seront fermes. Les hommes qui n'ont que 15 pour cent de gras ont l'air beaucoup plus en forme que des hommes du même poids qui ont 24 pour cent de gras.

Cher M. Bailey,

J'ai passé le test pour le gras corporel avec les méthodes de l'immersion et de l'adiposomètre. L'une donna un taux de 22 pour cent et l'autre, 34 pour cent! Lequel de ces deux tests donne le bon taux?

Gloria J.
Twin Falls, Idaho

Chère Gloria,

Vous n'avez pas spécifié quelle méthode avait donné quel résultat, alors je ne peux que vous dire des généralités lorsque les tests sont très divergents.

Nous croyons que la méthode de l'immersion est la plus précise. Si votre résultat par la méthode de l'immersion est de 22 pour cent, croyez-le! C'est très difficile de faire le test de façon incorrecte et d'avoir des résultats trop bas. Généralement, on obtient un résultat trop élevé quand le test est erroné. La première cause d'erreur est la rétention d'air. Les gens qui ont peur de l'eau n'expirent pas complètement. Les gens qui mangent des fèves la veille du test ou qui boivent des boissons gazeuses le jour du test ont de l'air dans les intestins. Même les femmes dans leur période prémenstruelle qui se plaignent de se sentir «rondes» ont des résultats plus élevés que la normale. L'air vous fait flotter tout comme le gras. Si on a de l'air dans les cheveux, les intestins, les poumons ou le maillot de bain, et ce, peu importe la quantité, le test donnera le même résultat que si la flottabilité avait augmenté, comme si le taux de gras avait augmenté.

Nous aimons l'adiposomètre parce qu'il est facile à utiliser. Cependant, dans les mains d'une personne inexpérimentée, les résultats peuvent être erronés. Nous avons généralement plus de problèmes avec les femmes qu'avec les hommes. Chez les hommes, il est plus facile de séparer les tissus adipeux des muscles, contrairement à la femme chez qui la musculature est moins bien définie.

L'adiposomètre mesure le gras sous-cutané (le gras sous la peau). En se basant sur ces résultats, on *estime* la masse adipeuse totale. Généralement, les résultats sont assez précis et la marge d'erreur est inférieure à 1 ou 2 pour cent à ceux du test de l'immersion. Pourtant, il y a parfois une différence considérable entre les deux tests. Les athlètes qui sont extrêmement en forme ont des résultats un peu plus élevés avec l'adiposomètre qu'avec l'immersion, parce que leur taux de gras sous-cutané peut se situer dans la moyenne, mais leur taux de gras intramusculaire est extrêmement faible. Les nageurs ont souvent des résultats élevés avec l'adiposomètre parce que même si leurs muscles sont très minces, ils ont beaucoup de graisse sous-cutanée afin de se protéger de la température de l'eau. Au contraire, les personnes très minces qui ne sont pas du type athlétique ont des résultats assez bas avec l'adiposomètre, car leur taux de gras sous-cutané n'est pas très élevé et masque des muscles très gras.

Vous devez considérer votre entraînement et votre alimentation. Si vous avez une alimentation assez faible en gras et que vous faites de l'exercice fréquemment, le résultat de 22 pour cent est le plus probable. Si vous ne faites pas beaucoup d'exercices et si vous mangez beaucoup de gras, l'autre résultat est peut-être plus précis. Si vous suivez des régimes étranges et si vous jeûnez fréquemment, votre taux de gras étant alors plus élevé, votre masse maigre pourra être faible même si votre poids semble normal.

Quel que soit le cas, commencez un programme d'entraînement et mangez de façon équilibrée. J'espère que cette réponse vous aidera à juger quel résultat est le plus précis.

Dans six mois, passez d'autres tests. La vraie valeur d'un test, ce n'est pas le résultat en lui-même, mais de savoir s'il y a eu une amélioration depuis le précédent.

Cher M. Bailey,

J'ai fait de l'exercice 12 minutes par jour au cours des deux derniers mois et je n'ai vu absolument aucune amélioration. Je suis aussi gras que je l'ai toujours été. Je me donne un autre mois avant d'abandonner!

B.T.
Miami, Floride

Cher B.T.,

Votre lettre ne me donne pas beaucoup de renseignements. Si je pouvais vous parler, j'aimerais savoir:

1. si vous avez changé vos habitudes alimentaires. Malheureusement, j'ai peut-être induit mes lecteurs en erreur par le passé. Douze minutes d'entraînement par jour est *tout* ce que l'on doit faire pour perdre du poids. Beaucoup de gens pensaient qu'ils étaient justifiés de manger plus parce qu'ils faisaient de l'exercice. À moins d'être un athlète extrêmement bien entraîné qui fait de l'exercice pendant des heures, il n'y a pas de programme d'exercices qui puisse contrer les effets d'une diète riche en gras. Il ne faut pas abandonner.

2. si on a testé votre taux de graisse. Savez-vous si vous êtes trop gras? Beaucoup de gens qui ont une grosse ossature ou beaucoup de muscles se font du tort sur les plans émotionnel et physique en pensant qu'ils sont trop gras quand ils ne le sont pas du tout.

3. si, en fait, vous êtes trop gras, vous avez besoin de plus d'exercices. Douze minutes d'exercice par jour est le strict minimum pour *garder* la forme que vous avez présentement. Si vous êtes très gras, vous devez en faire beaucoup plus.

4. si vous avez pris vos mensurations. Avez-vous passé d'autres tests pour mesurer votre taux de graisse? Comment

faites-vous pour savoir que vous ne changez pas ? Peut-être que vous perdez du gras au même rythme que vous gagnez des muscles, de sorte que le pèse-personne ne peut être un indice de changement.

5. si vous prenez votre pouls en faisant de l'exercice. Respirez-vous confortablement ? On ne brûle pas de gras quand on s'entraîne trop intensément.

6. depuis combien de temps êtes-vous gras ? Il vous faudra autant d'années pour vous mettre en forme. Cela prend du temps pour changer les enzymes de manière à ce qu'elles brûlent le gras efficacement. Vous leur avez enseigné pendant de nombreuses années à *ne pas* être efficaces. Elles méritent qu'on leur consacre autant d'années à les rééduquer.

Cher M. Bailey,

Je m'entraîne chaque jour pendant une heure, en courant environ 16 km. Je suis une diète faible en gras d'environ 2000 calories par jour. Je passe un test tous les six mois pour connaître mon taux de graisse et j'obtiens toujours le même résultat : 19 pour cent. Comment faire pour perdre plus de gras ?

Sue M.
San Diego, Californie

Chère Sue,

Tout d'abord, vous devez réaliser que 19 pour cent de gras, c'est très, très bien. Trop de gens se méprennent en pensant qu'il faut avoir un niveau très faible de gras pour être en santé. Mais il me semble que votre corps vous dit : « Holà ! J'aime avoir 19 pour cent de gras et je vais résister à toute baisse. Si tu me brusques encore, je pourrais riposter en te rendant tout le temps malade. Ou alors, je pourrais arrêter ton cycle menstruel. Ou mieux je pourrais me débarrasser du gras que tu voudrais garder comme le gras de la poitrine. » En jugeant du temps que vous passez à faire de l'exercice et de votre consommation de calories, je dirais que vous semblez avoir un poids d'équilibre à 19 pour cent de gras. C'est très sain pour vous. Une personne saine n'essaie pas de changer son taux de calcium ou d'hormones. Je sais que ça paraît idiot de dire une chose pareille, mais c'est tout aussi idiot d'essayer de changer son taux de gras quand on est en bonne santé. Vos performances et votre endurance suggèrent que vous êtes très en forme. Alors, si votre corps préfère 19 pour cent de gras, qu'il en soit ainsi.

Cher M. Bailey,

J'ai subi une hystérectomie qui a beaucoup changé mon corps. Avant l'intervention, j'avais 22 pour cent de gras, maintenant je n'arrive pas à descendre en bas de 28 pour cent. Pourtant, je fais très attention à mon alimentation (je consomme entre 20 et 25 pour cent de gras). J'ai même augmenté la durée de mon entraînement de 30 à 45 minutes par jour. Au secours!

Rhonda S.
Wichita, Kansas

Chère Rhonda,

Vous ne le mentionnez pas dans votre lettre, mais je présume que vous prenez un médicament pour remplacer les hormones. Une augmentation de 5 à 10 pour cent de gras est inévitable avec ces drogues. Les hormones femelles augmentent la quantité de graisse corporelle. Voilà pourquoi le taux de gras cible pour les femmes est plus élevé que pour les hommes (22 au lieu de 15). Si un homme prend des hormones femelles (pour prévenir une seconde crise cardiaque, par exemple), sa quantité de graisse corporelle augmentera. Les femmes qui prennent la pilule contraceptive ont de 2 à 3 pour cent plus de gras que lorsqu'elles ne la prennent pas.

Après la ménopause, qu'elle soit naturelle ou causée par une hystérectomie, les femmes doivent faire face à un autre problème si elles choisissent de ne pas suivre de thérapie pour remplacer les hormones. Le manque d'œstrogène augmente la perte de masse osseuse. Elles ne gagnent pas de gras, mais elles perdent de la masse maigre. Cela entraîne aussi une augmentation du taux de graisse. (La proportion du gras par rapport à la masse maigre augmente, ce qui donne un taux plus élevé même si la quantité de gras ne change pas.)

Quel que soit le cas, puisque vous faites beaucoup d'exercices et surveillez votre diète, n'essayez pas de revenir à 22 pour cent et acceptez 28 pour cent comme un taux normal pour vous. Passez un test de temps à autre pour connaître votre taux de gras.

Cher M. Bailey,

Je suis âgé de 62 ans. J'ai beaucoup apprécié votre livre, mais j'aurais aimé que vous écriviez un peu plus pour nous, les aînés.

Jim J.
Springfield, Massachusetts

Cher Jim,

En fait, mes livres s'adressent aux personne de tous âges. Cela n'a pas d'importance que vous soyez jeune ou vieux, homme ou femme, blanc ou noir. Les règles et les informations de base s'appliquent à tout le monde. Les gens ont besoin de faire de l'exercice pour contrôler leur taux de gras, pour améliorer leur condition cardiovasculaire ou pour enrayer la dépression. L'exercice a d'autres avantages pour les personnes du troisième âge : ralentir la perte de la masse osseuse et maintenir une bonne mobilité malgré les années.

Faites exactement ce que fait une personne de 20 ans, mais faites-le plus lentement. Vous avez encore besoin de faire de l'exercice aérobique. Tout ce que vous allez constater, c'est que votre rythme aérobique est beaucoup plus lent que celui d'une personne de 20 ans. Rappelez-vous que votre corps ne se répare pas aussi rapidement que lorsque vous étiez jeune. (Encore une fois, les personnes âgées qui s'entraînent en retirent un bienfait supplémentaire, car les mécanismes de réparation fonctionnent mieux que chez celles qui ne font pas d'exercices du tout.)

Vous avez tout le temps pour faire de l'exercice, pourquoi ne pas en profiter ? Prenez de grandes marches après le souper. Quand les enfants sont à l'école, allez à la piscine de votre quartier pour faire des longueurs pendant environ 30 minutes. Joignez un club de randonnée pédestre. La seule chose que vous devez faire différemment des plus jeunes, c'est de varier vos activités jour après jour pour éviter les traumatismes aux articulations et pour permettre aux tissus de récupérer.

Cher M. Bailey,

J'ai passé un test pour le taux de gras et le résultat a donné 19 pour cent de gras. Combien de temps me faudra-t-il pour atteindre l'objectif de 15 pour cent ?

Joseph D.
Los Angeles, Californie

Cher Joseph,

Vous ne m'avez pas donné assez de renseignements, alors je ne peux vous donner qu'une réponse générale. Nous savons, par expérience, qu'une personne qui fait de 30 à 45 minutes d'exercice aérobique tous les deux jours et qui a une alimentation faible en gras (de 20 à 25 pour cent de gras), de 1800 à 2000 calories par jour pour les femmes et de 2400 à 2700 calories par jour pour les hommes, perd 0,5 pour cent de gras par mois. Cela veut dire qu'il vous faudrait environ huit mois pour atteindre votre objectif. Cela peut être modifié par :

1. votre passé athlétique. Les gens qui n'ont jamais fait d'exercices ont plus de difficulté à brûler du gras que les « ex-athlètes ».

2. par la présence de gras dans votre antécédent familial. Si c'est dans vos gènes, vous pouvez être plus résistant à la perte de gras.

Finalement, on perd de moins en moins de gras quand on se rapproche du but. Des gens très obèses (40 pour cent de gras) perdent souvent 1 pour cent de graisse par mois dans la phase initiale, mais cela ralentit avec le temps et une perte de 0,5 pour cent par mois devient une moyenne pour tous.

Cher M. Bailey,

Le résultat d'un test pour le taux de graisse a donné 22 pour cent, ce que vous considérez comme sain pour une femme. Cependant, mes hanches sont encore toutes molles et j'ai cette maudite cellulite ! Je ne crois pas au test. Je suis convaincue d'avoir un taux de 30 pour cent.

Brenda A.
Vancouver, Colombie-Britannique

Chère Brenda,

Avec 22 pour cent de gras, vous avez environ de 10 à 15 kilos de graisse. Supposons qu'on distribue tout cela sur l'ensemble de votre corps. On en mettrait 1 kilo sous la peau, un peu plus de 1 kilo autour des seins, on envelopperait vos organes de 2 kilos et vos muscles avec un autre 3 kilos. Ce qui laisse de 4 à 6 kilos de gras. Où les femmes entreposent-elles leur surplus de gras ? Bingo ! De 2 à 3 kilos pour chaque hanche ! Les hommes en santé ont les mêmes récriminations à propos de leur ventre. « Comment se fait-il qu'en ayant 15 pour cent de gras j'aie quand même des poignées d'amour ? » disent-ils.

Se débarrasser de ce gras excessif peut être très difficile. J'ai vu des femmes chez qui le gras disparaissait lorsqu'elles abaissaient leur taux de gras à 18 pour cent. Chez d'autres femmes, il persiste, pendant que la perte de gras dans le reste du corps leur donne un air amaigri. Si votre gras excédentaire est très persistant, vous pouvez faire appel à la liposuccion. Les chirurgiens plastiques grognent quand des gens très obèses veulent faire enlever tout ce gras. Cependant, ce genre de chirurgie est parfaite pour un homme ou une femme en forme et mince qui a un dépôt de graisse irréversible dans un endroit précis du corps.

Gardez à l'esprit que la liposuccion ne règle pas le problème de la cellulite, qui donne un aspect « capitonné » à la peau. Les femmes qui ont la peau claire ont plus tendance à avoir ce genre de problème que les femmes à la peau foncée. Enlever le gras sous une peau gonflée par la cellulite réduira la grosseur des hanches, mais cela ne changera rien à l'aspect « capitonné » de la peau. Il arrive parfois qu'en développant les muscles des hanches, on rende la peau plus lisse.

33

Pourquoi pas maintenant ?

Je ne vais pas vous dire que s'habituer à une routine d'entraînement quotidienne est une partie de plaisir. Il y a des moments où même les meilleurs d'entre nous voudraient tout abandonner, se croiser les bras et rêver d'une pilule ou d'un régime miracle qui donne la santé. Mais la santé ne vient ni en bouteille ni en sachet.

Même la meilleure diète combinée aux vitamines les plus complètes ne peuvent pas mettre les muscles en condition de la même façon que l'exercice. C'est une honte de mettre un carburant très coûteux dans une voiture qui ne fonctionne pas bien. Quand notre voiture ne fonctionne pas bien, est-ce qu'on fait le tour de la ville en quête de la meilleure essence ou est-ce qu'on fait faire une mise au point ? Il faut se rappeler que ce sont les muscles qui brûlent la plus grande partie des calories qu'on consomme. C'est la chimie des muscles qui détermine si cette diète extraordinaire et ces vitamines sont utilisées correctement ou si elles sont simplement perdues.

Ce serait idéal si chacun d'entre nous pouvait se faire peser sous l'eau pour connaître son taux de gras. Sans cette information, on ne peut pas savoir si on est trop gras ou non. Occasionnellement, des gens qui ont l'air très gras viennent à la clinique, mais ils ne sont pas gras ; ils ont de gros os ou de gros muscles presque sans gras.

Il m'est impossible dans ce livre de dire à chacun quel poids il doit atteindre. Et ce l'est tout autant pour un médecin, ou un tableau sur le rapport taille-poids idéal. Si on a lu ce livre consciencieusement, on devrait être convaincu que des muscles en mauvaise condition sont la cause d'un excès de gras. Il faut cesser de penser à son poids et commencer à penser à ses muscles. Il faut penser à sa condition physique et mesurer les changements que cela implique.

Ne demandez plus combien de kilos vous devez perdre. Arrêtez de vouloir atteindre un poids idéal ! Ciblez la santé, afin d'être en forme. Quand vous faites de l'exercice, ne pensez pas au nombre de calories que vous brûlez ; pensez à vos enzymes. Quand je fais mon jogging le matin, je me dis : « Croissez mes enzymes, croissez ! » Quand c'est possible, vérifiez votre tension artérielle de temps à autre pour voir si elle baisse au fur et à mesure que votre condition physique s'améliore. Prenez tous les moyens pour vérifier votre pouls à l'état de repos. La chose la plus facile à vérifier, ce sont les mensurations. Chez les hommes comme chez les femmes, la taille s'amincit et les muscles abdominaux s'aplatissent. L'exercice fait baisser rapidement la mesure des hanches et des cuisses chez les femmes.

Ces simples mesures peuvent avoir l'air peu sophistiquées, mais elles sont bien meilleures pour mesurer la santé que le poids. Si vous avez besoin d'encouragement, demandez à votre médecin de vérifier d'autres indices de santé de temps à autre. Par exemple, si vous avez tendance à avoir du sucre dans votre urine, cela diminuera avec l'exercice. L'hypoglycémie décroît avec l'exercice ainsi que les problèmes de triglucide dans le sang. Ne soyez pas impatient ; ces améliorations exigent du temps, au moins un an, quelquefois quatre ou cinq ans chez les personnes plus âgées.

Avoir des muscles en bonne condition ne veut pas dire devenir un athlète. Cela veut dire qu'on a plus d'énergie et plus de dynamisme, et que l'organisme utilise plus efficacement la nourriture en en convertissant moins en gras.

Une des raisons pour laquelle beaucoup de gens abandonnent les programmes d'entraînement et de contrôle du gras, c'est que trop souvent on leur a dit que c'était facile. Perdre du poids et se mettre en forme N'est PAS facile. Il faut se méfier des programmes de contrôle du poids qui annoncent qu'il est facile de perdre du poids. Toutefois, ce qui est difficile n'est pas nécessairement déplaisant. Demandez à quelqu'un comment on se sent après une randonnée en montagne. Était-ce difficile ? Certainement ! Était-ce déplaisant ? Bien sûr que non !

Les réalisations qui demandent beaucoup d'efforts donnent beaucoup de satisfaction en retour. Être parent, c'est difficile, mais ce n'est pas déplaisant. Construire sa propre maison est une tâche très difficile et TRÈS satisfaisante ! Quand on commence un programme d'entraînement ou de contrôle du poids, il ne faut pas se leurrer en se disant que ce sera facile. Ayez la même approche que si vous deveniez parent, si vous entrepreniez des études universitaires, ou si vous partiez escalader une montagne. C'est difficile, mais cela en vaut la peine.

Alors commencez à faire de l'exercice ! Comme tout le monde, vous allez être lâche de temps à autre, mais persévérez et, graduellement, votre bien-être physique et mental s'améliorera. Soyez certain de prendre votre pouls et de faire le test de la parole pour ne pas trop en faire. Cela vous évitera les douleurs musculaires provoquées par la plupart des programmes d'entraînement non guidés. Renverser 20 ans d'accumulation des graisses peut prendre des mois et même des années, mais accrochez-vous : nous sommes nombreux à vous soutenir, à vous soutenir *vraiment*.

Joignez ceux qui sont fiers de retirer le maximum du corps qui leur a été octroyé. Commencez dès maintenant !

Le nouveau journal de bord aérobique

une approche réaliste de l'exercice

Le nouveau journal de bord aérobique s'adresse à tout le monde – jeunes, vieux, hommes ou femmes. Il a été pensé pour vous aider à obtenir une forme physique maximum avec un minimum de stress. Nous mettons l'accent sur le TEMPS et non sur la distance.

La plupart des programmes mesurent la distance par rapport au temps : quelle distance parcourez-vous en courant, à bicyclette, en canoë, ou en faisant n'importe quelle autre activité dans un temps donné ? Le défaut majeur de ces programmes, c'est que pour gagner plus de kilomètres les gens s'entraînent souvent trop intensément et trop vite. Ils brisent leur rythme aérobique confortable pour aller chercher un demi-kilomètre de plus.

Les études faites sur le sujet montrent qu'on obtient une amélioration cardiovasculaire maximale et une meilleure efficacité à brûler le gras quand l'entraînement maintient le cœur dans la fréquence comprise entre 65 et 80 pour cent de sa fréquence maximale. On doit s'entraîner à un rythme qui provoque une respiration profonde, sans suffoquer, et qui permette de parler en haletant légèrement. Voilà ce qu'est l'exercice AÉROBIQUE ; l'amélioration vient de l'augmentation du temps qu'on passe à en faire et non de l'augmentation de la vitesse.

Vous remarquerez que, dans ce journal de bord, il n'y a pas de place pour comptabiliser la distance. Vous mesurez seulement le temps que vous passez à faire de l'exercice. Vous gagnez du *temps*, pas des kilomètres.

COMMENT SE SERVIR DU JOURNAL DE BORD

Chaque semaine, comptabiliser son temps d'entraînement.

Dans le premier journal de bord que j'avais conçu, on gagnait des minutes d'entraînement seulement pour l'exercice purement aérobique. Cela portait à confusion : « Est-ce que ça veut dire que je ne compte pas une partie de tennis ? » me demandaient certaines personnes. Ou encore : « Est-ce que ça veut dire que la première partie de ma classe de danse aérobique, lorsque je suis debout, et que la seconde partie, durant laquelle nous faisons du travail au sol, ne comptent pas ? » Nous savons maintenant que TOUTE forme d'activité apporte une part de bienfait. Les sports de raquette apportent beaucoup de bienfait aérobique. La musculation et le culturisme, même s'ils ne sont pas aérobiques, accroissent la masse musculaire qui élimine les graisses. Même jouer au Frisbee ou à la balle molle est bénéfique.

Dans le nouveau journal de bord aérobique, on gagne du temps pour *toute* activité. Chaque semaine, on se fixe un nombre total de minutes d'exercices, dont certaines minutes à faire de l'aérobique. On peut y ajouter des MINUTES D'EXERCICE ANAÉROBIQUE. Cela veut dire que l'on peut compter le temps passé à jouer au tennis (qui demande trop de courts efforts trop intenses pour être considéré comme aérobique), à faire de la musculation (qui est trop intense pour être aérobique) ou à jouer au golf (qui est trop lent pour être aérobique). Toutes ces activités anaérobiques sont bonnes, mais elles ne sont pas aussi efficaces que l'exercice aérobique pour améliorer les performances d'élimination des graisses et le système cardiovasculaire.

Chaque mois, prendre ses mensurations.

Même si je sais que vous ne pourrez résister à la tentation de vous peser, je n'ai pas laissé de place pour noter votre poids. Les changements de poids n'ont pas de valeur, puisque vous ne savez pas si vous perdez (ou gagnez) du muscle ou du gras. Ce qui est plus significatif, ce sont vos mensurations. Habituellement, les hommes conservent leur graisse autour de la taille et les femmes, autour des cuisses et des hanches. À la fin de chaque mois, mesurez vos zones d'entreposage des graisses pour savoir si elles diminuent.

Chaque mois, faire le test de la forme aérobique.

Ce test est décrit à la page 199. Laissez-moi vous prévenir de nouveau : CE N'EST PAS UN TEST POUR CONNAÎTRE SA VITESSE MAXIMUM ! Pour être valable, on doit le faire à un rythme aérobique confortable. Je recommande aux débutants de se tester chaque mois. Après un certain temps, on fait le test aux trois mois. D'un mois à l'autre, on doit prendre moins de temps pour couvrir confortablement la distance de 1 km. Au début, les changements seront importants : on prend 10, 20 ou 30 secondes de moins que la fois précédente. Par la suite, les changements sont moins sensibles, peut-être même qu'il n'y aura plus de changement du tout. C'est normal. Quand on a atteint l'un de ces plateaux, on peut s'entraîner quelques minutes de plus par semaine et peut-être ajouter une ou deux périodes d'entraînement par intermittence par semaine, dans le but d'améliorer sa performance lors du test. Cependant, je vous préviens, si votre performance lors du test est moins bonne que la précédente, ralentissez le rythme de vos séances d'entraînement, car c'est la façon qu'a trouvée votre corps de vous dire que vous vous entraînez trop intensément.

Tous les six à douze mois, faire mesurer son taux de gras.

Il faut trouver un endroit dans sa ville où l'on peut passer le test pour mesurer son taux de gras, que ce soit au département d'éducation physique d'un collège ou d'une université, ou dans un centre de conditionnement physique. Il faut retenir trois chiffres : le taux de gras, le poids de la masse maigre et celui de la masse grasse. Il faut faire vérifier ces résultats tous les six ou douze mois pour savoir si le taux de graisse diminue ou augmente et ce qui advient de la masse maigre. Une longue maladie a-t-elle eu pour effet d'affecter votre masse maigre ? Une croisière dans les Antilles l'hiver précédent a-t-elle eu pour résultat d'ajouter de la graisse dans votre organisme ? Votre nouveau programme d'exercices a-t-il changé votre constitution ?

L'horaire d'entretien du corps

	Mois											
	1	2	3	4	5	6	7	8	9	10	11	12
Temps minimum d'exercices aérobiques	240	240	240	240	240	240	240	240	240	240	240	240
Minutes totales d'exercices (aérobique et anaérobique)	360	360	360	360	360	360	360	360	360	360	360	360
Vérifier ses mensurations	•	•	•	•	•	•	•	•	•	•	•	•
Faire le test de forme aérobique	•			•			•			•		
Faire mesurer son taux de gras	•						•					

Un mot à propos des diètes. En général, on devrait suivre une diète comprenant environ 25 pour cent de matières grasses. Si on a besoin de perdre de 2 à 7 kilos, il faut baisser cette proportion à 20 pour cent. Si on est vraiment gras, alors il faut viser de 10 à 15 pour cent.

LE TEST DE LA FORME AÉROBIQUE

Avant de faire ce test, il faut d'abord déterminer *sa* fréquence cardiaque cible. Trop de gens la déterminent en se fiant à une moyenne trouvée dans un tableau ou proposée par un entraîneur. Cependant, ces moyennes ne tiennent pas compte du fait que le cœur d'un individu peut battre plus rapidement ou plus lentement que la moyenne, ou qu'une personne prend des médicaments qui affectent son rythme cardiaque.

Pour vous aider à trouver votre fréquence cardiaque cible, je ferais ce qui suit. Je vous demanderais de marcher sur un tapis roulant avec un appareil de mesure de la fréquence cardiaque collé à votre poitrine. Ensuite, j'augmenterais graduellement la vitesse du tapis roulant en notant votre rythme respiratoire. Quand vous auriez atteint la vitesse où vous respireriez profondément sans suffoquer et où vous pourriez encore me parler un peu en haletant, alors j'enregistrerais la fréquence cardiaque donnée par l'appareil comme votre fréquence cible aérobique. Un marathonien d'élite pourrait courir un kilomètre et demi en cinq minutes tout en restant dans les limites de sa fréquence cible aérobique, alors qu'un obèse sédentaire pourrait difficilement marcher la même distance en 20 minutes.

Puisque je ne peux faire ce test pour vous, *vous* devez vous-même trouver votre fréquence cible en établissant d'abord le rythme d'exercice confortable que vous pouvez maintenir sans effort, puis en prenant votre pouls. Ayez du sens pratique ! Ne vous préoccupez pas de la vitesse de vos amis ou de ce que les livres vous disent de faire. Trouvez ce qui est confortable pour *vous*. Pour 60 pour cent d'entre nous, la fréquence cible se situera dans l'intervalle décrit aux chapitres 11 et 12, c'est-à-dire entre 65 et 85 pour cent de votre fréquence cardiaque maximale :

(220 – votre âge) × 0,65, et 0,8 = fréquence cardiaque cible.

Quarante pour cent d'entre vous découvriront que leur fréquence cible est bien différente de celle donnée dans les tables ou dérivées de la formule. Ne vous inquiétez pas de cela. Tant et aussi longtemps que vous respirez profondément sans suffoquer, que vous pouvez avoir une conversation limitée et surtout *que vous vous sentez confortable*, c'est le rythme qui vous convient.

Répétez cette routine trois ou quatre jours jusqu'à ce que vous puissiez maintenir votre pouls dans sa fréquence cible. Certains machos trouveront ce rythme un peu lent. Peu importe. On devrait pouvoir s'arrêter à n'importe quel moment de son entraînement, prendre son pouls pendant 6 secondes, multiplier par 10 et obtenir une fréquence à 4 battements près de sa fréquence cible.

Maintenant, FAITES LE TEST.

Trouvez un parcours plat de 1 km et demi. Vous pourriez peut-être utiliser la piste de course d'une école, qui mesure généralement un demi kilomètre, ou mesurer cette distance sur la route avec votre voiture. Réchauffez-vous en marchant rapidement ou en courant lentement de cinq à huit minutes. Puis, commencez à courir en NE DÉPASSANT PAS votre fréquence cardiaque cible.

Ce test ne donne qu'un chiffre important ! *Combien de temps cela vous a-t-il pris pour courir 2 km sans excéder votre fréquence cible ?* ___________ minutes.

Remarquez que des accidents peuvent survenir pendant l'entraînement. C'est un fait. Le grande majorité des gens, s'ils font le test correctement, à un rythme aérobique *confortable*, n'auront pas de difficulté. Cependant, quelque chose *peut* arriver et vous devrez décider si vous êtes prêt à courir le risque. Rappelez-vous ce que je vous ai dit à propos du rythme aérobique confortable : si votre rythme cesse d'être confortable, ralentissez ou arrêtez-vous. Je crois que les risques encourus si vous *ne* faites *pas* du tout d'exercices sont plus grands que ceux que vous encourez en en *faisant*. Mais je ne veux pas porter la responsabilité des griefs que vous pourriez avoir contre l'exercice.

Je m'attends à ce que vous répétiez le test aux trois mois pour mesurer vos progrès. Chaque fois, votre fréquence cardiaque et votre respiration devraient être les mêmes. Toutefois, le temps nécessaire pour couvrir la distance devrait diminuer (ou augmenter) si le niveau de votre forme physique augmente (ou diminue).

Garder le compte de ses minutes d'entraînement

Maintien normal : Au moins 60 minutes d'exercice aérobique par semaine, étalées au moins sur trois jours. Ajouter 30 minutes supplémentaires d'exercice aérobique ou anaérobique.

Maintien minimum (quand on n'a pas le temps d'en faire plus) : Au moins 60 minutes d'exercice aérobique par semaine, étalées sur au moins trois jours.

Pour perdre de 2 à 7 kilos de graisse : Au moins 70 minutes d'exercice aérobique par semaine, étalées au moins sur trois jours. Ajouter 60 minutes d'exercice aérobique ou anaérobique.

Pour perdre plus de 15 kilos de graisse : Au moins deux séances d'entraînement de 12 minutes par jour, cinq jours par semaine. Ajouter 20 minutes d'exercice aérobique ou anaérobique les deux autres jours.

Pour augmenter sa masse musculaire : Au moins 30 minutes d'exercice aérobique par semaine, étalées au moins sur trois jours. Ajouter de 45 à 60 minutes de musculation trois jours par semaine (pas les mêmes jours que l'exercice aérobique).

Pour les gens de plus de 50 ans : 30 minutes d'exercice aérobique tous les deux jours en changeant d'activité pour chaque séance d'entraînement.

Pour les gens récupérant d'une crise cardiaque : 30 minutes d'exercice aérobique tous les deux jours. *Attention : consultez un médecin avant d'entreprendre un programme d'entraînement.*

Exercices aérobiques

MARCHE – JOGGING – COURSE – CYCLISME – CANOTAGE – SKI DE FOND – NATATION – DANSE AÉROBIQUE – MARCHEPIED – ASCENSION D'UN ESCALIER – SAUT À LA CORDE – MINI-TRAMPOLINE – TAPIS ROULANT – ESCALADE

Ou toute activité qui est continue, qui nous garde dans notre fréquence cible d'entraînement, qui dure plus de 12 minutes et qui sollicite les muscles inférieurs du corps.

Exercices anaérobiques

TENNIS – RACQUETBALL – HANDBALL – BALLE MOLLE – GOLF – DANSE – SKI ALPIN – BASKETBALL – MUSCULATION – CULTURISME – EXERCICES AU SOL – ÉQUITATION – FRISBEE

Ou toute activité qui n'est pas continue, qui est trop rapide ou trop lente pour être aérobique.

Registre d'entraînement

Mois	Minutes du temps aérobique (chaque mois)	Total du temps d'entraînement (chaque mois)	Mensurations (chaque mois)	Test de forme aérobique (tous les trois mois)	Taux de gras (tous les six mois)
1	Sem. 1 ____ Sem. 2 ____ Sem. 3 ____ Sem. 4 ____ Total ____	Sem. 1 ____ Sem. 2 ____ Sem. 3 ____ Sem. 4 ____ Total ____	Homme: taille ___ Femme: hanches ____ cuisses ____	1,5 km en ________ minutes	% de gras _____ Kg de gras _____ Masse maigre corporelle: _____
2	Sem. 1 ____ Sem. 2 ____ Sem. 3 ____ Sem. 4 ____ Total ____	Sem. 1 ____ Sem. 2 ____ Sem. 3 ____ Sem. 4 ____ Total ____	Homme: taille ___ Femme: hanches ____ cuisses ____		
3	Sem. 1 ____ Sem. 2 ____ Sem. 3 ____ Sem. 4 ____ Total ____	Sem. 1 ____ Sem. 2 ____ Sem. 3 ____ Sem. 4 ____ Total ____	Homme: taille ___ Femme: hanches ____ cuisses ____		
4	Sem. 1 ____ Sem. 2 ____ Sem. 3 ____ Sem. 4 ____ Total ____	Sem. 1 ____ Sem. 2 ____ Sem. 3 ____ Sem. 4 ____ Total ____	Homme: taille ___ Femme: hanches ____ cuisses ____	1,5 km en ________ minutes	
5	Sem. 1 ____ Sem. 2 ____ Sem. 3 ____ Sem. 4 ____ Total ____	Sem. 1 ____ Sem. 2 ____ Sem. 3 ____ Sem. 4 ____ Total ____	Homme: taille ___ Femme: hanches ____ cuisses ____		
6	Sem. 1 ____ Sem. 2 ____ Sem. 3 ____ Sem. 4 ____ Total ____	Sem. 1 ____ Sem. 2 ____ Sem. 3 ____ Sem. 4 ____ Total ____	Homme: taille ___ Femme: hanches ____ cuisses ____		

Registre d'entraînement

Mois	Minutes du temps aérobique (chaque mois)	Total du temps d'entraînement (chaque mois)	Mensurations (chaque mois)	Test de forme aérobique (tous les trois mois)	Taux de gras (tous les six mois)
1	Sem. 1 ____ Sem. 2 ____ Sem. 3 ____ Sem. 4 ____ Total ____	Sem. 1 ____ Sem. 2 ____ Sem. 3 ____ Sem. 4 ____ Total ____	Homme: taille ___ Femme: hanches ____ cuisses ____	1,5 km en ________ minutes	% de gras _____ Kg de gras _____ Masse maigre corporelle: _____
2	Sem. 1 ____ Sem. 2 ____ Sem. 3 ____ Sem. 4 ____ Total ____	Sem. 1 ____ Sem. 2 ____ Sem. 3 ____ Sem. 4 ____ Total ____	Homme: taille ___ Femme: hanches ____ cuisses ____		
3	Sem. 1 ____ Sem. 2 ____ Sem. 3 ____ Sem. 4 ____ Total ____	Sem. 1 ____ Sem. 2 ____ Sem. 3 ____ Sem. 4 ____ Total ____	Homme: taille ___ Femme: hanches ____ cuisses ____		
4	Sem. 1 ____ Sem. 2 ____ Sem. 3 ____ Sem. 4 ____ Total ____	Sem. 1 ____ Sem. 2 ____ Sem. 3 ____ Sem. 4 ____ Total ____	Homme: taille ___ Femme: hanches ____ cuisses ____	1,5 km en ________ minutes	
5	Sem. 1 ____ Sem. 2 ____ Sem. 3 ____ Sem. 4 ____ Total ____	Sem. 1 ____ Sem. 2 ____ Sem. 3 ____ Sem. 4 ____ Total ____	Homme: taille ___ Femme: hanches ____ cuisses ____		
6	Sem. 1 ____ Sem. 2 ____ Sem. 3 ____ Sem. 4 ____ Total ____	Sem. 1 ____ Sem. 2 ____ Sem. 3 ____ Sem. 4 ____ Total ____	Homme: taille ___ Femme: hanches ____ cuisses ____		

Registre d'entraînement

Mois	Minutes du temps aérobique (chaque mois)	Total du temps d'entraînement (chaque mois)	Mensurations (chaque mois)	Test de forme aérobique (tous les trois mois)	Taux de gras (tous les six mois)
1	Sem. 1 ____	Sem. 1 ____	Homme:	1,5 km en	% de gras ____
	Sem. 2 ____	Sem. 2 ____	taille ____	________	Kg de gras ____
	Sem. 3 ____	Sem. 3 ____	Femme:	minutes	Masse maigre
	Sem. 4 ____	Sem. 4 ____	hanches ____		corporelle:
	Total ____	Total ____	cuisses ____		____
2	Sem. 1 ____	Sem. 1 ____	Homme:		
	Sem. 2 ____	Sem. 2 ____	taille ____		
	Sem. 3 ____	Sem. 3 ____	Femme:		
	Sem. 4 ____	Sem. 4 ____	hanches ____		
	Total ____	Total ____	cuisses ____		
3	Sem. 1 ____	Sem. 1 ____	Homme:		
	Sem. 2 ____	Sem. 2 ____	taille ____		
	Sem. 3 ____	Sem. 3 ____	Femme:		
	Sem. 4 ____	Sem. 4 ____	hanches ____		
	Total ____	Total ____	cuisses ____		
4	Sem. 1 ____	Sem. 1 ____	Homme:	1,5 km en	
	Sem. 2 ____	Sem. 2 ____	taille ____	________	
	Sem. 3 ____	Sem. 3 ____	Femme:	minutes	
	Sem. 4 ____	Sem. 4 ____	hanches ____		
	Total ____	Total ____	cuisses ____		
5	Sem. 1 ____	Sem. 1 ____	Homme:		
	Sem. 2 ____	Sem. 2 ____	taille ____		
	Sem. 3 ____	Sem. 3 ____	Femme:		
	Sem. 4 ____	Sem. 4 ____	hanches ____		
	Total ____	Total ____	cuisses ____		
6	Sem. 1 ____	Sem. 1 ____	Homme:		
	Sem. 2 ____	Sem. 2 ____	taille ____		
	Sem. 3 ____	Sem. 3 ____	Femme:		
	Sem. 4 ____	Sem. 4 ____	hanches ____		
	Total ____	Total ____	cuisses ____		

Registre d'entraînement

Mois	Minutes du temps aérobique (chaque mois)	Total du temps d'entraînement (chaque mois)	Mensurations (chaque mois)	Test de forme aérobique (tous les trois mois)	Taux de gras (tous les six mois)
1	Sem. 1 ____ Sem. 2 ____ Sem. 3 ____ Sem. 4 ____ Total ____	Sem. 1 ____ Sem. 2 ____ Sem. 3 ____ Sem. 4 ____ Total ____	Homme: taille ___ Femme: hanches ____ cuisses ____	1,5 km en ________ minutes	% de gras _____ Kg de gras _____ Masse maigre corporelle: _____
2	Sem. 1 ____ Sem. 2 ____ Sem. 3 ____ Sem. 4 ____ Total ____	Sem. 1 ____ Sem. 2 ____ Sem. 3 ____ Sem. 4 ____ Total ____	Homme: taille ___ Femme: hanches ____ cuisses ____		
3	Sem. 1 ____ Sem. 2 ____ Sem. 3 ____ Sem. 4 ____ Total ____	Sem. 1 ____ Sem. 2 ____ Sem. 3 ____ Sem. 4 ____ Total ____	Homme: taille ___ Femme: hanches ____ cuisses ____		
4	Sem. 1 ____ Sem. 2 ____ Sem. 3 ____ Sem. 4 ____ Total ____	Sem. 1 ____ Sem. 2 ____ Sem. 3 ____ Sem. 4 ____ Total ____	Homme: taille ___ Femme: hanches ____ cuisses ____	1,5 km en ________ minutes	
5	Sem. 1 ____ Sem. 2 ____ Sem. 3 ____ Sem. 4 ____ Total ____	Sem. 1 ____ Sem. 2 ____ Sem. 3 ____ Sem. 4 ____ Total ____	Homme: taille ___ Femme: hanches ____ cuisses ____		
6	Sem. 1 ____ Sem. 2 ____ Sem. 3 ____ Sem. 4 ____ Total ____	Sem. 1 ____ Sem. 2 ____ Sem. 3 ____ Sem. 4 ____ Total ____	Homme: taille ___ Femme: hanches ____ cuisses ____		

Registre d'entraînement

Mois	Minutes du temps aérobique (chaque mois)	Total du temps d'entraînement (chaque mois)	Mensurations (chaque mois)	Test de forme aérobique (tous les trois mois)	Taux de gras (tous les six mois)
1	Sem. 1 ____ Sem. 2 ____ Sem. 3 ____ Sem. 4 ____ Total ____	Sem. 1 ____ Sem. 2 ____ Sem. 3 ____ Sem. 4 ____ Total ____	Homme: taille ___ Femme: hanches ____ cuisses ____	1,5 km en ________ minutes	% de gras _____ Kg de gras _____ Masse maigre corporelle: _____
2	Sem. 1 ____ Sem. 2 ____ Sem. 3 ____ Sem. 4 ____ Total ____	Sem. 1 ____ Sem. 2 ____ Sem. 3 ____ Sem. 4 ____ Total ____	Homme: taille ___ Femme: hanches ____ cuisses ____		
3	Sem. 1 ____ Sem. 2 ____ Sem. 3 ____ Sem. 4 ____ Total ____	Sem. 1 ____ Sem. 2 ____ Sem. 3 ____ Sem. 4 ____ Total ____	Homme: taille ___ Femme: hanches ____ cuisses ____		
4	Sem. 1 ____ Sem. 2 ____ Sem. 3 ____ Sem. 4 ____ Total ____	Sem. 1 ____ Sem. 2 ____ Sem. 3 ____ Sem. 4 ____ Total ____	Homme: taille ___ Femme: hanches ____ cuisses ____	1,5 km en ________ minutes	
5	Sem. 1 ____ Sem. 2 ____ Sem. 3 ____ Sem. 4 ____ Total ____	Sem. 1 ____ Sem. 2 ____ Sem. 3 ____ Sem. 4 ____ Total ____	Homme: taille ___ Femme: hanches ____ cuisses ____		
6	Sem. 1 ____ Sem. 2 ____ Sem. 3 ____ Sem. 4 ____ Total ____	Sem. 1 ____ Sem. 2 ____ Sem. 3 ____ Sem. 4 ____ Total ____	Homme: taille ___ Femme: hanches ____ cuisses ____		

Registre d'entraînement

Mois	Minutes du temps aérobique (chaque mois)	Total du temps d'entraînement (chaque mois)	Mensurations (chaque mois)	Test de forme aérobique (tous les trois mois)	Taux de gras (tous les six mois)
1	Sem. 1 ____	Sem. 1 ____	Homme :	1,5 km en	% de gras _____
	Sem. 2 ____	Sem. 2 ____	taille ___	________	Kg de gras _____
	Sem. 3 ____	Sem. 3 ____	Femme :	minutes	Masse maigre
	Sem. 4 ____	Sem. 4 ____	hanches ____		corporelle :
	Total ____	Total ____	cuisses ____		_____
2	Sem. 1 ____	Sem. 1 ____	Homme :		
	Sem. 2 ____	Sem. 2 ____	taille ___		
	Sem. 3 ____	Sem. 3 ____	Femme :		
	Sem. 4 ____	Sem. 4 ____	hanches ____		
	Total ____	Total ____	cuisses ____		
3	Sem. 1 ____	Sem. 1 ____	Homme :		
	Sem. 2 ____	Sem. 2 ____	taille ___		
	Sem. 3 ____	Sem. 3 ____	Femme :		
	Sem. 4 ____	Sem. 4 ____	hanches ____		
	Total ____	Total ____	cuisses ____		
4	Sem. 1 ____	Sem. 1 ____	Homme :	1,5 km en	
	Sem. 2 ____	Sem. 2 ____	taille ___	________	
	Sem. 3 ____	Sem. 3 ____	Femme :	minutes	
	Sem. 4 ____	Sem. 4 ____	hanches ____		
	Total ____	Total ____	cuisses ____		
5	Sem. 1 ____	Sem. 1 ____	Homme :		
	Sem. 2 ____	Sem. 2 ____	taille ___		
	Sem. 3 ____	Sem. 3 ____	Femme :		
	Sem. 4 ____	Sem. 4 ____	hanches ____		
	Total ____	Total ____	cuisses ____		
6	Sem. 1 ____	Sem. 1 ____	Homme :		
	Sem. 2 ____	Sem. 2 ____	taille ___		
	Sem. 3 ____	Sem. 3 ____	Femme :		
	Sem. 4 ____	Sem. 4 ____	hanches ____		
	Total ____	Total ____	cuisses ____		

Registre hebdomadaire du temps d'entraînement*

Date	Type d'exercices	Aérobique ?	Minutes	Anaérobique ?	Minutes

Totaux pour la semaine :

Minutes d'exercice aérobique : __________ **

Minutes d'exercice anaérobique : __________

Total des minutes d'entraînement : __________

(Reportez ces chiffres dans votre registre d'entraînement.)

* Faites plusieurs copies de ce registre pour en avoir pendant plusieurs semaines.

** Rappelez-vous que le temps d'exercice aérobique inclut seulement le temps durant lequel vous vous entraînez à votre fréquence cardiaque cible et que vous respirez confortablement, sans effort excessif. Ne comptez ni les périodes de réchauffement et de refroidissement ni les périodes d'entraînement par intermittence. Cependant, vous pouvez les compter comme des minutes d'exercice anaérobique.

Registre hebdomadaire du temps d'entraînement*

Date	Type d'exercices	Aérobique ?	Minutes	Anaérobique ?	Minutes

Totaux pour la semaine :

Minutes d'exercice aérobique : __________ **

Minutes d'exercice anaérobique : __________

Total des minutes d'entraînement : __________

(Reportez ces chiffres dans votre registre d'entraînement.)

* Faites plusieurs copies de ce registre pour en avoir pendant plusieurs semaines.

** Rappelez-vous que le temps d'exercice aérobique inclut seulement le temps durant lequel vous vous entraînez à votre fréquence cardiaque cible et que vous respirez confortablement, sans effort excessif. Ne comptez ni les périodes de réchauffement et de refroidissement ni les périodes d'entraînement par intermittence. Cependant, vous pouvez les compter comme des minutes d'exercice anaérobique.

Registre hebdomadaire du temps d'entraînement*

Date	Type d'exercices	Aérobique ?	Minutes	Anaérobique ?	Minutes

Totaux pour la semaine :

Minutes d'exercice aérobique : _________ **

Minutes d'exercice anaérobique : _________

Total des minutes d'entraînement : _________

(Reportez ces chiffres dans votre registre d'entraînement.)

* Faites plusieurs copies de ce registre pour en avoir pendant plusieurs semaines.

** Rappelez-vous que le temps d'exercice aérobique inclut seulement le temps durant lequel vous vous entraînez à votre fréquence cardiaque cible et que vous respirez confortablement, sans effort excessif. Ne comptez ni les périodes de réchauffement et de refroidissement ni les périodes d'entraînement par intermittence. Cependant, vous pouvez les compter comme des minutes d'exercice anaérobique.

Registre hebdomadaire du temps d'entraînement*

Date	Type d'exercices	Aérobique ?	Minutes	Anaérobique ?	Minutes

Totaux pour la semaine :

Minutes d'exercice aérobique : __________ **

Minutes d'exercice anaérobique : __________

Total des minutes d'entraînement : __________

(Reportez ces chiffres dans votre registre d'entraînement.)

* Faites plusieurs copies de ce registre pour en avoir pendant plusieurs semaines.

** Rappelez-vous que le temps d'exercice aérobique inclut seulement le temps durant lequel vous vous entraînez à votre fréquence cardiaque cible et que vous respirez confortablement, sans effort excessif. Ne comptez ni les périodes de réchauffement et de refroidissement ni les périodes d'entraînement par intermittence. Cependant, vous pouvez les compter comme des minutes d'exercice anaérobique.

Registre hebdomadaire du temps d'entraînement*

Date	Type d'exercices	Aérobique ?	Minutes	Anaérobique ?	Minutes

Totaux pour la semaine :

Minutes d'exercice aérobique : __________ **

Minutes d'exercice anaérobique : __________

Total des minutes d'entraînement : __________

(Reportez ces chiffres dans votre registre d'entraînement.)

* Faites plusieurs copies de ce registre pour en avoir pendant plusieurs semaines.

** Rappelez-vous que le temps d'exercice aérobique inclut seulement le temps durant lequel vous vous entraînez à votre fréquence cardiaque cible et que vous respirez confortablement, sans effort excessif. Ne comptez ni les périodes de réchauffement et de refroidissement ni les périodes d'entraînement par intermittence. Cependant, vous pouvez les compter comme des minutes d'exercice anaérobique.

Registre hebdomadaire du temps d'entraînement*

Date	Type d'exercices	Aérobique ?	Minutes	Anaérobique ?	Minutes

Totaux pour la semaine :

Minutes d'exercice aérobique : __________ **

Minutes d'exercice anaérobique : __________

Total des minutes d'entraînement : __________

(Reportez ces chiffres dans votre registre d'entraînement.)

* Faites plusieurs copies de ce registre pour en avoir pendant plusieurs semaines.

** Rappelez-vous que le temps d'exercice aérobique inclut seulement le temps durant lequel vous vous entraînez à votre fréquence cardiaque cible et que vous respirez confortablement, sans effort excessif. Ne comptez ni les périodes de réchauffement et de refroidissement ni les périodes d'entraînement par intermittence. Cependant, vous pouvez les compter comme des minutes d'exercice anaérobique.